INHALT

W0192495

FEUER UND FLAMME FÜRS GRILLEN

Ich bin mittlerweile im „40. Lehrjahr" und wurde schon in meiner Kindheit kulinarisch geprägt. Meine Großmutter war Köchin im Schloss Esterházy, mein Vater wuchs daher quasi unter dem Küchentisch auf und versprach seiner Mutter, dass sein erster Sohn einmal Koch werden würde. Eine Geschichte, die man mir schon als kleines Kind erzählte und die letztlich wahr wurde. Auch mein Vater kochte ausgezeichnet, am liebsten Paprikahendl, am Dreibein über offenem Feuer zubereitet. Womit wir die Brücke zu diesem Buch geschlagen hätten.

Vor etwa 10 Jahren packte mich der Ehrgeiz, das Thema „Feuer – Flamme – Leidenschaft" in mein gutbürgerliches Wirtshaus in Göttlesbrunn zu integrieren. Seit damals grille ich unermüdlich, habe meine eigene Grillschule gegründet, bin AMA-zertifizierter Grilltrainer, absolvierte eine Fleisch-Sommelier-Ausbildung, bin Teil der „Weber Grill Academy", habe eine Juroren-Ausbildung, an Staats-, Europa- und Weltmeisterschaften teilgenommen und schließlich auch eine Ausbildung zum Asadomeister gemacht. Kurz gesagt: Ich genieße jede Minute am Grill! Dann kamen zwei Grillbücher („Steaks mit Adi & Adi" und „Grillen mit Adi & Adi"), die ich gemeinsam mit meinem Freund Adi Matzek verfasste, und ich schrieb das Buch „Urban BBQ".

Eines Tages saß ich nach einem Grillkurs mit einigen Freunden bei einem kühlen Zwettler Bier. Ein Kursteilnehmer lud mich ein, zu ihm in die Steiermark zu kommen und zu sehen, wie er dort mit seinen Grill-Buddys grillte. Da kam mir ganz plötzlich die zündende Idee für mein nächstes Buch:

Ich wollte erfahren, wie österreichische Hobbygriller arbeiten, wollte jedes Bundesland bereisen und den „Ich-und-du- und Du-und-ich-Grillern" über die Schulter schauen. Ich wollte erfahren, in welcher Umgebung sie leben und welche Produkte sie gerne verwenden. Aus dieser spontanen Idee wurde rasch ein Konzept. Ich begann Kursteilnehmer, Bekannte und Freunde zu besuchen, habe sie beim Grillen beobachtet und ihre Heimat erkundet. Ebenso rasch habe ich allerdings auch festgestellt, dass ich eigentlich zwei Leben für mein Projekt brauchen würde.

Es war umwerfend, was ich alles erlebte an Gastfreundschaft, an Kulinarik, Kulturellem und atemberaubenden Naturschauspielen. Letztlich arbeitete und reiste ich für das Buch gut ein Jahr. Doch die Mühe hat sich gelohnt. Das Buch stellt 26 leidenschaftliche Grillfreunde vor, die unter dem Motto „hinter jedem Gartenzaun steht ein kleiner Weltmeister" ihrem Hobby frönen. Faszinierend sind auch die Geschichten, wie die Leute zum Grillen kamen, ihre lustigen Hoppalas, die sie mir erzählten, oder wie sie es fertigbrachten, auch ihre Freunde mit dem Grillvirus anzustecken. Ich habe ganz einfaches Grillen erlebt, aber auch aufwändigere Garmethoden und Smoken. Ich war beeindruckt von der Fülle an Grillgeräten, die manche von ihnen besitzen, und davon, wie viele Freunde, Bekannte und Familienmitglieder zum Grillen eingeladen werden. In diesem Buch wird sichtbar, mit wie großer Leidenschaft unterschiedliche Menschen an das Thema herangehen, wie bewusst sie sich mit guten Lebensmitteln auseinandersetzen und wie gekonnt sie ihre Funktion als „Genuss-Botschafter" wahrnehmen und ihren Leitspruch anderen weitergeben: „So grillt Österreich"!

AN DIE GRILLER, FERTIG, LOS!

Ihr Adi Bittermann

SO GRILLT ÖSTERREICH

Herr und Frau Österreicher grillen so viel und so gerne wie niemals zuvor. Das hat vor allem mit der neuen Grilltechnologie zu tun, die Grillen zu einem kultigen Lifestyle mit Genussfaktor gemacht hat.

Auf diesem Sektor hat eine unglaublich rasante Entwicklung stattgefunden. Ich erinnere mich noch daran, wie man früher Holzkohle mit Spiritus oder Brandbeschleuniger, mitunter sogar mit dem Fön, zum Glühen gebracht hat und darauf Würstl und Kotelett brutzeln ließ, manchmal so lange, bis sie verkohlt waren. Diese Zeiten sind glücklicherweise vorbei!

PASSENDES GRILLGERÄT

Heute ersteht man ein schickes Grillgerät nach Wahl, etwa den Weber-Klassiker, einen Kugelgrill mit Deckel und 57 cm Durchmesser. Kein Wunder, dass dieser Grill zu den beliebtesten zählt, denn es lassen sich spielend vier bis sechs Personen damit „begrillen". Stark im Kommen sind aber auch Gasgrillgeräte, für mich die perfekte Lösung für „faule Intelligente". Nur etwa 15 Minuten aufheizen, reinigen und es kann losgehen mit der Grillerei. Die Gruppe der Entschleunigungs-Griller verwendet wiederum lieber den Wassersmoker, der mittlerweile durch den Weber SmokeFire Pelletgrill einen ernsthaften Mitbewerber bekommen hat. Letzterer ist das ideale Gerät für Entschleunigungs-Bequem-Griller. Überall dort, wo mit Feuer und Flamme Vorsicht angesagt ist, also auf Balkon und Terrasse, grillt man besser auf Elektrogrillgeräten. Weber bietet diesbezüglich etwa den beliebten „Pulse" an.

BEWUSST GRILLEN

Galt Grillen früher als Domäne der Männer, so verteidigen heute immer mehr Frauen ihren Platz hinter dem Grill. Allerdings gibt es hier noch viel Luft nach oben und das liegt nicht zuletzt an uns Männern. Zu viele Männer setzen das weibliche Geschlecht immer noch lieber nur für „Zureicharbeiten" ein und geben die Grillzange ungern aus der Hand. Denn ein altes Grillgesetz besagt, dass derjenige der Grill-Chef ist, der die Zange in der Hand hält. Dabei haben Frauen gerade in Sachen vegetarisch und gesund Grillen einiges zu sagen. Apropos gesund – ein erfreulicher Trend, den ich in letzter Zeit immer stärker bemerke, ist das gestiegene Bewusstsein in Sachen Qualität und Nachhaltigkeit. Der Leitgedanke „Klasse statt Masse" spielt bei den meisten Grillfreunden, die ich getroffen habe, beim Einkauf eine zunehmend größere Rolle. Regionales wird bevorzugt, auch auf Tierhaltung und Herkunft wird geachtet.

GRILLEN IM WINTER

Was sich in letzter Zeit ebenfalls stark verändert hat, ist die Freude am Grillen zu jeder Jahreszeit. Wurde früher der Grill vorwiegend in den warmen Sommermonaten angeworfen, so wird nunmehr gerne auch im Winter gegrillt. Man zieht sich einfach wärmer an und genießt seine Steaks oder gar die Weihnachtsente frisch vom Grill. Die Zukunft wird zeigen, welch ausgeklügelte Technik immer neue, immer bessere Geräte auf den Markt bringen wird, doch eines wird immer gleich bleiben: die unbändige Lust mit eigenen Händen auf heißem Rost rohe Zutaten in köstliches Gegrilltes zu verwandeln. Von einfach bis hochkomplex, von billig bis zu extrem kostspielig – die Bandbreite ist enorm.

WOMIT GRILLT ÖSTERREICH?

Der Grillboom der letzten Jahre hat es mit sich gebracht, dass auch das Angebot an unterschiedlichen Grillgeräten geradezu explodiert ist.

Alle Grillgeräte aufzuzählen ist ein Ding der Unmöglichkeit. Im Folgenden stelle ich daher nur die gängigsten Typen vor und führe vorab noch jene Geräte bzw. Marken an, die ich zumindest erwähnt haben möchte und meinen Lesern empfehlen kann: Beefer, Kopa Charcoal Oven, Josper-Grill, sämtliche Keramikgrills, Southfork Burner, aber auch Kistensau, Dreibein, Grillplatten nach slowenischer Art, alle Arten von Schwenkgrills und den Ötscher-Grill, ein besonderes Open-Air-Highlight inmitten des Naturparks Ötscher-Tormäuer, gestaltet und umgesetzt vom Ybbsitzer Metallkünstler Joe Wahler und dem Vorarlberger Designer Robert Rüf.

DIE WICHTIGSTEN GRILLGERÄTE

ELEKTROGRILL Urbanes Grillen sowie der Trend zu gefahrlosem und bequemem Grillen haben diesen Typ sehr populär werden lassen. Die Marken Weber Pulse und Elektro Q sind sehr beliebt, vielseitig einsetzbar und erzielen auch für anspruchsvolle Grillmeister sensationelle Ergebnisse.

GASGRILL Ein universelles Grillgerät, das in unterschiedlichen Preiskategorien und Ausstattungen, von einer bis sechs Flammen, erhältlich und bei all jenen beliebt ist, die ihren Grill gerne rasch einsatzbereit haben; solch ein Grill ist schon eher eine kleine Outdoor-Küche.

HOLZKOHLEGRILL Der Weber Master Touch ist das meistverkaufte Grillgerät der Welt. Mit einem Durchmesser von 57 cm ist der Grill für Einsteiger, Hobbygriller, aber auch Profis unverzichtbar. Das Gerät vermittelt Lagerfeuer-Romantik und wird vom Typ Performer über Bar-B-Kettle bis hin zum Summit Kamado in einer Vielfalt angeboten, die das Herz jedes Grillfreundes höherschlagen lässt.

HOLZPELLETGRILL Der SmokeFire Pelletgrill von Weber ist der King unter den Pelletgrills und kann einfach alles. Von „low and slow" bis zum rasanten Steakgrillen, sogar räuchern kann man damit; ein Gerät, das für unsere Zeit konzipiert ist und den Grillalltag erleichtert.

TRAGBARE GRILLGERÄTE Alle, die gerne mobil sind beim Grillen, bevorzugen diese Geräte. Ob für Camper, Fischer, Jäger, Bergsteiger, Abenteurer oder Picknick – die Marken Weber GO-Anywhere, Weber Traveler Grill und Smokey Joe sind problemlos mitzunehmen, überall einsatzbereit und in vielfältigen Ausführungen zu haben.

DUTCH OVEN Wer nicht nur auf dem Rost grillen will, braucht diesen geräumigen Topf aus Gusseisen. Damit lassen sich Brote backen, Gemüse, Ragouts oder Schichtfleisch schmoren; der Topf ist über Kohle oder Lagerfeuer, auf Holzkohle- oder Gasgrillgeräten zu verwenden – für mich das perfekte Grillgerät, um den Hauptgrill zu entlasten.

FEUERTISCH Das Optimum in puncto Kommunikation bieten diese Grillgeräte, deren unterschiedliche Ausstattung, von ganz einfach bis extrem luxuriös, enorm ist. Man steht rund um die Feuerstelle, plaudert und grillt ganz nebenbei die feinsten Dinge. Ein Grillgerät, bei dem man sich allerdings auch mit anderen thermischen Bedingungen auseinandersetzen muss.

WIE GRILLT ÖSTERREICH?

DIE WICHTIGSTEN GRILLTECHNIKEN

GRILLEN AUF DEM HOLZKOHLEGRILL

Früher hat man nur über offenem Feuer gegrillt, die Holzkohle war extrem heiß und ich erinnere mich noch daran, als ich einmal mein schönes Steak einfach direkt auf den Rost legte und es so richtig verkohlt habe. Moderne Grillgeräte mit Deckel lassen solche Missgeschicke seltener werden, sie ermöglichen direkt oder indirekt zu grillen. Ob man nun auf Holzkohle oder Gas grillt, es ist immer besser, zwei Zonen zur Verfügung zu haben: eine für rasches direktes (An-)Grillen und eine für langsames indirektes Grillen abseits großer Hitze.

Beim Holzkohlegrill, in meinem Fall dem Weber Kugelgrill mit 57 cm Durchmesser, fülle ich die Briketts nach dem Anzünden in die Kohlenkörbe. Dann platziere ich die Körbe meist in der Mitte, wodurch eine direkte Zone zum kräftigen Angrillen und/oder Finishen entsteht. Rundum habe ich die indirekte Zone mit sanfter Konvektionswärme. Hier kann das Grillgut langsam garen, während das Aroma der Gewürze sowie die Saftigkeit komplett erhalten bleiben. Dabei ist es wichtig, dass man den Grill mit dem Lüftungsschieber unten und den Luftregler am Deckel richtig einpendelt. Zum Finishen kann indirekt gegartes Fleisch zum Schluss noch kurz scharf in der direkten Zone angegrillt werden. Diese Methode, das Fleisch zuerst sanft indirekt zu garen und zum Schluss scharf anzugrillen, nennt man auch reverse grillen, also rückwärts grillen.

Salze ich Steaks vorab, so grille ich sie auf direkter Hitze beidseitig pro 1 cm Stärke je 1 Minute an, bei 3 cm Fleischstärke sind das demnach pro Seite jeweils 3 Minuten. Dann lege ich die Steaks in die indirekte Zone, mariniere nach Belieben und lasse sie noch ca. 10 Minuten indirekt bei 200 °C rasten. Das hat den Vorteil, dass sich beim Angrillen die Zellfasern schnell schließen, durch das Rasten in der indirekten Zone das Steak aber unter leichter Spannung bleibt, das Eiweiß denaturiert und beim Anschneiden der Fleischsaft nicht ausläuft.

GRILLEN AUF DEM GAS- & ELEKTROGRILL

Diese Grundregeln des Grillens gelten auch für Gas- und Elektrogrillgeräte. Allerdings ist das mit der indirekten Zone hier nicht ganz so einfach. Beide Gerätetypen besitzen nämlich einen Gusseisenrost, der Hitze besonders gut speichert, also sehr heiß wird. Würde ich beim Gasgrill etwa mein angegrilltes Steak in die indirekte Zone legen, wofür ich den zweiten oder dritten Gasbrenner wegschalte, hätte ich immer das Problem, dass der Gusseisenrost zu viel Hitze gespeichert hat, das Steak also auch bei indirekter Platzierung auf dem heißen Rost zu viel Hitze abbekommt. Allerdings besitzt der Gasgrill einen Warmhalterost. Lege ich das Fleisch auf diesen Warmhalterost, zirkuliert die Konvektionswärme perfekt und der Garprozess verläuft schön gleichmäßig.

Elektrogrillgeräte besitzen meistens keinen Warmhalterost. Für indirektes Grillen gibt es aber die Möglichkeit, ein Gitter mit etwas Abstand auf den Gusseisenrost zu legen, dann funktioniert die Konvektionswärme genauso gut. Es gibt noch viele andere Methoden, die Hitze zu mindern, eine möchte ich noch rasch verraten: Legen Sie bei Elektro- oder Gasgrill in Wasser eingelegte Kräuter auf den heißen Gusseisenrost, reduzieren Sie die Hitze unter den Kräutern und lassen Sie das angegrillte Steak auf den Kräutern heiß rasten! Auch große Bratenstücke, Fisch oder Geflügel lassen sich so indirekt grillen. Elektrogrillgeräte sind vor allem für urbanes Grillen auf dem Balkon und der Terrasse geeignet oder werden von Menschen bevorzugt, die weder Holzkohle noch Gasflaschen im Haus haben wollen.

SMOKEN IM WASSERSMOKER

Smoken eröffnet generell eine neue Grillwelt. Dafür werden Holzchips oder sogenannte Chunks

in die Glut gelegt. In der Mitte befindet sich ein Einsatz, in den man Wasser, aber auch Sand oder Marinaden einfüllt – und plötzlich entsteht eine ganz eigene Magie! Die verschiedenen Holzarten erzeugen einen, je nach Wunsch, mehr oder wenigen intensiven Rauch, das Grillgut wird in mit Rauch gesättigter Konvektionswärme gegart und erhält zudem ein ganz spezielles Aroma. Für Spezialisten, die sich gerne mit Hitze, Luftzufuhr, Holz und Feuchtigkeit auseinandersetzen, ist Smoken eine endlos große Spielweise. In Kombination mit einer Räucherschnecke kann man damit übrigens auch kalt räuchern.

SMOKEN IM PELLET-SMOKER
Pellet-Smoker sind momentan so etwas wie die Eier legende Wollmilchsau, vor allem der Smoke-Fire Pelletgrill von Weber. Smoken war tatsächlich noch nie so einfach, da das Gerät mit dem Handy verbunden und computergesteuert ist. Man erzeugt exakt die richtige Menge von Rauch, das Garen wird über die App automatisch geregelt, man kann heiß räuchern, mit hoher Hitze angrillen, große Bratenstücke garen – einfach ein Alles-Könner!

OFFSET SMOKER
Beim Offset Smoker wird in der Brennkammer, auch „pit" (Erdhöhle) genannt, Hitze erzeugt, die Wärme durch das Material des Smokers gespeichert und der Rauch durch den Smoker geschickt. Dabei wird das Grillgut langsam und schonend gegart. Die Steigerung ist der Reverse Flow Offset Smoker, bei dem der Rauch länger in der Garkammer bleibt. Neben den erwähnten Smokern gibt es auch beeindruckende Holzkohle- oder Elektrosmoker.

DIREKTES GRILLEN NACH CAVEMAN STYLE (AUF HOLZKOHLE)
Für alle wahren Fleischfans ein absolutes Muss! Für Grillen nach Caveman Style eignet sich ein Holzkohlegrill oder eine Feuerstelle, aber auch auf einer Steinplatte aufgehäufte Holzkohle. Wichtig dabei ist, dass reine Holzkohle verwendet wird oder dass man selbst Holz so lange abrennt, bis weiße, nicht mehr glühende Hitze entstanden ist. Mindestens so wichtig ist dabei auch, dass man

das Fleisch „versteht", ein sogenannter „Fleischflüsterer" ist. Sobald die Holzkohle anfängt leicht zu singen, legt man das Fleisch direkt auf die Kohle – es beginnt zu karamellisieren, es tanzt auf der Glut und ist ein richtiger Hingucker.

Diese Grilltechnik ist genial für Gemüse und für kurzgebratene Steaks! Danach gibt es verschiedene Möglichkeiten das Fleisch zu toppen (mit Marinade zu bestreichen) und/oder heiß rasten zu lassen. Wichtig ist, dass unmariniert und ungewürzt gegrillt wird, der Geschmack ist sensationell und jeder, der sich ernsthaft mit Grillen beschäftigt, sollte das zumindest einmal ausprobiert haben.

KISTENSAU
Nicht weniger urtümlich ist das Garen in einer sogenannten „Kistensau". Damit bezeichnet man eine spezielle Vorrichtung, bei der oben am Deckel ein Feuer gemacht wird, welches das Gargut im Inneren der Kiste gart.

RICHTIGE PRODUKTWAHL
Welche Grilltechnik Sie auch wählen mögen, entscheidend ist vor allem, was gegrillt wird. Das gilt vor allem für Fleisch. Gerade dabei stelle ich bei meinen Grillkursen immer wieder große Unsicherheiten fest, welches Stück sich denn nun am besten für welches Rezept eignet. Das ist verständlich, denn üblicherweise wird Fleisch großteils im Supermarkt gekauft. Leider, denn einerseits müssen deshalb immer mehr alteingesessene Fleischhauereien schließen und andererseits stehen die Konsumenten in den Supermärkten oft ratlos und ohne Fachberatung vor den langen Kühlregalen. Wenn man also bewusst darauf verzichtet, sich von einem Fleischermeister beraten zu lassen, sollte man zumindest das eigene Wissen rund um Fleisch auf Vordermann bringen und die gängigen Qualitätsmerkmale kennen. Das möchte ich Ihnen im Folgenden vermitteln.

KLEINE FLEISCHKUNDE RUND UMS GRILLEN

Erfolg oder Misserfolg einer Grillerei hängen ganz wesentlich von der Qualität der Rohprodukte ab.

QUALITÄT KAUFEN!

Für mich ist es als „Botschafter des guten Geschmacks" wichtig, möglichst viele Freunde, Gäste und Bekannte für die Qualität von gutem Fleisch zu sensibilisieren und ihnen mein Motto nahezubringen: „Ich muss nicht täglich Fleisch essen, aber wenn ich Fleisch esse, dann ein richtig gutes Stück!" Mein dringender Appell: Wer immer einen Fleischhauer in seiner Nähe hat, sollte diese Gelegenheit nutzen! Man kann sich nicht nur beraten lassen, sondern Fleisch auch bis zur richtigen Reife bei ihm abhängen lassen. Gute Fleischhauer bieten diesen Service an. Auch die Möglichkeiten auf Märkten und in Ab-Hof-Läden empfehle ich zu nutzen. Der geringe Mehraufwand, den ein bewusster Einkauf bedeutet, wird dadurch belohnt, dass man mit dem gezielt ausgewählten Fleischlieferanten einen passenden Partner gefunden hat, auf den man sich auch langfristig verlassen kann.

SCHWEINEFLEISCH

Wir Österreicher essen gerne und viel Schweinefleisch. Viele von uns erinnern sich noch an die 80er-Jahre, als Fett als böse Cholesterinbombe verpönt war. Das führte dazu, dass durch Züchtungen Schweinefleisch schließlich nur noch 2 % Fettgehalt hatte. Das Geschmackserlebnis ging dabei völlig verloren. Wurde das Fleisch nur ein bisschen zu lange gegart, schmeckte es extrem hart und trocken. Kochen mit Schweinefleisch machte einfach keinen Spaß mehr!

Mittlerweile hat sich viel geändert und Fett ist nun einmal Geschmacksträger Nummer Eins. Folglich muss gutes Schweinefleisch immer eine gewisse Fettabdeckung aufweisen, am besten auch intermuskuläres Fett. Für mich ist Paracelsus′ Spruch auch beim Genuss von Schweinefleisch zutreffend: „Allein die Dosis macht das Gift!" Ich muss nicht oft Schnitzel, Kotelett oder Schweinsbraten essen, aber wenn ich dazu Lust habe, dann soll das Fleisch von einer glücklichen, fetten Sau stammen. Ich sage auch gerne scherzhaft „Olivenöl auf 4 Beinen" zu diesen Tieren. Qualitativ hochwertiges Schweinefleisch besitzt, abgesehen von der schon erwähnten ordentlichen Fettabdeckung, eine feste Struktur und einen hohen Schmelzpunkt, das Fleisch gibt wenig Saft ab und ist am Grill oder in der Pfanne einfach Weltkasse.

SCHWEINEFLEISCH-REIFUNG

Wie bei Rindfleisch spielt auch bei hochwertigem Schweinefleisch die richtige Reifung eine große Rolle. Freilich, bei einer Turbo-Sau, die in 90 Tagen 90 Kilo bringt, ist es sinnlos, ihr Fleisch reifen zu lassen. Im Premium-Segment ist das jedoch sehr wohl angebracht und auch ein Megatrend. Denn zu frisches Schweinefleisch kann ein Debakel sein. Im Allgemeinen sollte man Schweinsbraten oder -karree mindestens eine Woche Reifung gönnen. Während der Reifung findet ein kontrollierter enzymatischer Prozess statt: Die Fleischfasern entspannen sich, das Aroma wird verstärkt, das Fleisch wird schmackhafter und deutlich zarter, was sich speziell auf magere Muskelpartien sowie die Karreerose spür- und schmeckbar auswirkt.

Schließlich macht sich die Vorliebe für Dry Aging am Knochen auch beim Schweinefleisch immer mehr bemerkbar. Man reift mittlerweile sogar den ganzen Schlögel, aus dem ich beispielsweise mein Obelix-Steak herausschneide. Ich lasse das Schweinefleisch selbst reifen und verwende gerne Rinderfett als Schutzschicht, wodurch ich das Risiko der Verkeimung minimiere. Dann lasse ich das Schweinefleisch bis zu drei Wochen hängen, putze es zu – und ab auf den Grill. Was dann kommt? Eine echte Geschmacksexplosion!

RINDFLEISCH

Österreich kann stolz sein auf seine Fleischqualität, auch in puncto Rindfleisch sind wir absolute Weltklasse. Es ist allerdings keineswegs nötig, immer gleich zum teuren Rinderfilet zu greifen, man muss nur etwas genauer hinsehen, um die verschiedenen Qualitätskriterien zu erkennen und das Richtige für den Grillabend zu finden. So liefert etwa die Handelsklasse für Rindfleisch wichtige Hinweise über die Qualität, denn die hängt wiederum nicht nur von Rasse oder Mast ab, sondern hier wird auch nach Alter, Geschlecht und Kastration unterschieden.

RINDFLEISCH-KLASSIFIZIERUNG

KATEGORIE Z JUNGRIND 8–12 Monate alte männliche und weibliche Tiere von mehr als 150 kg; vor allem mit einer Fettklassifizierung von 3–5 sehr gut zum Grillen geeignet

KATEGORIE A JUNGSTIER Nicht ausgewachsene männliche Tiere von max. 18 Monaten und 330–400 kg

KATEGORIE B STIER Ausgewachsene männliche Tiere von 18–24 Monaten und 600–700 kg

KATEGORIE C OCHSE Ausgewachsene männliche, kastrierte Tiere von 28–30 Monaten und 280–400 kg, bestens zum Grillen geeignet

KATEGORIE D KUH Ausgewachsene weibliche Tiere von mind. 280 kg, die bereits gekalbt haben; je nach Gericht zum Grillen geeignet

KATEGORIE E KALBIN Ausgewachsene weibliche Tiere von 280–360 kg und max. 24 Monaten; ideal zum Grillen geeignet

FETTKLASSIFIZIERUNG

5ER KLASSE der Schlachtkörper ist zur Gänze mit Fett abgedeckt

4ER KLASSE die Muskulatur ist ebenso mit Fett abgedeckt wie Schlögel und Schulter, deutliche Fettansätze in der Brusthöhle

3ER KLASSE die Muskulatur ist mit Ausnahme von Schlögel und Schulter fast überall mit Fett abgedeckt, leichte Fettansätze in der Brusthöhle

2ER KLASSE leichte Fettabdeckung sichtbar an Muskulatur und fast überall

1ER KLASSE keine bis sehr geringe Fettabdeckung

SPECIAL CUTS VOM RIND

Beim Grillen stehen meist klassische Steaks wie T-Bone oder Tomahawk bzw. Entrecôte double und Chateaubriand im Mittelpunkt. Das ist schade, denn auch andere Teile haben ihre Reize, man muss nur wissen, welche, und wie man sie schneidet. Für mich sind Special Cuts daher ein großes Thema, weil ich schnell bemerkt habe, dass sich während des Grillens einzelne Muskelpartien geschmacklich unterschiedlich entwickeln.

DIE BESTEN SPECIAL CUTS VOM HINTEREN VIERTEL (SCHLÖGEL)

Spider Steak (Kachelfleisch oder Fledermaussteak), Front-Side-Muskel (Herz des Schalendeckels), Topside (Schwarzes Scherzel), Eye of Round (Weißes Scherzel), Tri Tip (Hüferschwanzel), Beef Knuckle (Nuss), Cap of Knuckle (Nuss-Deckel), Top Sirloin Butt (Hüferscherzel), Baseball Cut (Hüftzapfen), Rump Cap (Tafelspitz) und Outside Round (Wadelstuzn)

DIE BESTEN SPECIAL CUTS VOM VORDEREN VIERTEL (SCHULTER)

Shoulder Tender (flaches Filet), Vegas Strip (Deckel des Schulterscherzels), Square Cut (Teil von der dicken Schulter), Arm Roast Steak (dicke Schulter, freigeschnitten), Flat Iron (Schulterscherzel ohne Mittelsehne, auch Bügeleisensteak genannt), Blade Oyster (Schulterscherzel mit Mittelsehne), Chuck Tender (Mageres Meisel) und Brisket (Brust ohne Knochen)

DIE BESTEN SPECIAL CUTS VOM HALS

Chuck Roll (Kernstück vom Hals), New York Strip oder Rib Fingers (Zwischenfleisch der Hochrippe), Chuck Flap (Rose des Halses) und Sierra Cut (flaches Teilstück im Hals)

WEITERE EMPFEHELENSWERTE SPECIAL-CUTS

Flank Steak (Hinterer Bauchlappen), Hanging Tender (Herz- oder Nierenzapfen), Outside Skirt (Kronfleisch oder Zwerchfell), Inside Skirt (Bauchlappen über den Rippen) und Flap Meat (liegt zwischen Flank Steak und Skirt in der Mitte, auch Wammerl genannt)

LAMM UND GEFLÜGEL

Lammkoteletts zählen zu den Grillklassikern, aber auch andere Teile vom Lamm, beispielsweise Stelze oder Schlögel, eignen sich hervorragend zum Grillen. Als Lammfleisch bezeichnet man Fleisch, das von Tieren stammt, die jünger als 1 Jahr sind, Hammelfleisch stammt von Tieren, die jünger als 2 Jahre sind, Schaffleisch von

Tieren, die älter als 2 Jahre sind. Hühnerflügerl und -haxerl muss man nicht empfehlen, sie stehen ohnehin ganz oben auf der Grill-Hitliste. Was ich hingegen unbedingt empfehlen möchte, ist der Griff zu Bio-Geflügel. Ob Hendl, Poularde, Pute, Ente, Gans oder Stubenküken – artgerecht und biologisch gehaltenes Geflügel schmeckt nicht nur viel besser, sondern sichert auch Genuss mit gutem Gewissen.

MEIN LIEBLINGSFLEISCH FÜR DEN GRILL

Die Auswahl meiner bevorzugten Rohprodukte fußt auf meiner langjährigen Erfahrung als Koch und ist auf meine Region zugeschnitten. Sie ist nur ein Beispiel, wie sehr wir in Österreich aus dem Vollen schöpfen können. So verwende ich gerne gut gereiftes Fleisch vom Alpenvorland-Rind, selektiertes Kalbinnen-Cult-Beef, Almochsen, Duroc-Schwein aus Niederösterreich, Lamm aus dem Yspertal, Lammfleisch (und auch Schafkäse) von Familie Raser aus Pachfurth, Wild aus regionaler Jagd sowie Donau-Auen-Hirsch, Geflügel aus der Steiermark und Oberösterreich, Fisch von Gut Dornau oder aus dem Neusiedlersee.

EINKAUFSTIPPS

Fleisch ist ein leicht verderbliches Produkt. Folgende Kriterien verraten, ob das Fleisch einwandfrei ist.

GERUCH
Der Geruch sollte frisch und arttypisch sein!

FARBE
Gut gereiftes Rindfleisch hat eine kräftige rote Fleischfarbe; dieses Fleisch ist bestens zum Grillen und Braten geeignet. Helles Rindfleisch ist zu frisch, weil nicht gereift, und eher zum Kochen und Dünsten zu verwenden.

MARMORIERUNG
Darunter versteht man die feine Fettmaserung, die qualitativ hochwertiges Fleisch auszeichnet. Diese leichten Fetteinlagerungen verleihen dem Fleisch Zartheit sowie Geschmack und sorgen dafür, dass das Steak saftig bleibt.

FETTABDECKUNG
Manche Fleischstücke (Beiried, Karree, Schopf etc.) sollten über eine Fettabdeckung verfügen. Dieses Oberflächenfett schützt das Fleisch bei der Lagerung vor dem Austrocknen und bewirkt, dass es beim Zubereiten saftig und aromatisch bleibt. Wenn das Fleisch mit der fettreichen Seite zuerst angebraten wird, können Sie auf die Zugabe von Fett weitgehend verzichten.

REIFUNG
Die Qualität von Rindfleisch, insbesondere Grill- und Kurzbratfleisch, hängt entscheidend von einer entsprechenden Reifung ab. Im Idealfall sollte die Reifung zwei Wochen dauern, Weltklasse wäre vier Wochen, alles darüber Luxus! Ich kenne zehn Reifungsarten: Wet Aging, Dry Aging, Rindertalg-Reifung, Asche-Reifung (einer meiner Favoriten), Aqua-Reifung, Smoke Aging, Whisky Aging, Bafri Box, Reifebeutel, Reifung in Öl und Luma-Reifung.

TRANSPORT UND LAGERUNG

Nach dem Kauf von Fleisch, Fisch und Geflügel sollte die Kühlkette keinesfalls durchbrochen werden, vor allem nicht in heißen Sommermonaten. Gut isolierte Kühltaschen sind für den Transport unerlässlich! Auch zu Hause muss Fleisch kühl gelagert werden und kann dabei nach Wunsch noch etwas nachreifen. Dafür Fleisch einfach in einen Vakuumierbeutel packen, vakuumieren und im Kühlschrank im untersten Fach bei 2–4 °C lagern (Wet Aging). Das Einpacken ist auch deshalb wichtig, weil Fleisch im Kühlschrank schnell Gerüche anderer Lebensmittel annimmt.

FLEISCH TIEFKÜHLEN
Ich bin kein großer Freund von tiefgekühltem Fleisch, aber wenn es sein muss, dann sollte man das Fleisch in Portionen schneiden, verpacken und darauf achten, dass die Fleischstücke schnell durchfrieren. Je schneller etwas einfriert, umso weniger Eiskristalle bilden sich und die Zellwände werden nicht so stark zerstört. Friert man zu große Teile ein, so dauert das bei –18 °C zu lange, der Wasserdampf kristallisiert und die Kristalle zerreißen die Zellfaser. Dadurch verliert das Fleisch später beim Auftauen viel Fleischsaft. Mein Tipp: Fleisch, vor allem große Stücke, wenn möglich schockfrosten!

GEMÜSE VOM GRILL

Meist wird Grillen ja mit Fleisch assoziiert, doch auch Gemüse eignet sich bestens zum Grillen, man muss nur wissen, was wie gegrillt werden sollte.

Abgesehen von den ohnehin bekannten Stammgästen wie Erdäpfeln, Paradeiser, Paprika oder Maiskolben fühlen sich auch weißer und grüner Spargel, (Frühlings-)Zwiebeln, Knoblauch, Zucchini, Melanzani, Karotten, Schwarzwurzeln, Süßerdäpfel, Rote Rüben, Spinat, Salat, Kürbis, Kraut oder Champignons auf dem heißen Rost wohl. Im Folgenden ein kurzer Blick auf meine vegetabilen Grill-Favoriten und deren Zubereitung.

ERDÄPFEL – sind am Grill echte Alles-Könner, ob als gegrillte Erdäpfelscheiben, als Erdäpfelgratin oder direkt in der Glut gegrillt; es gibt unzählige Varianten, Erdäpfel am Grill zuzubereiten.

KNOLLENGEMÜSE (Pastinaken, Rüben, Rote Rüben, Süßkartoffel, Kohlrabi) – grille ich gerne ungeschält sowohl indirekt als auch direkt in der Glut; nach dem Schälen kann das Gemüse nach Lust und Laune gewürzt und mariniert werden.

KÜRBIS – viele Sorten eignen sich für direktes und indirektes Grillen; Kürbis kann auch sehr gut als Grillbeilage zu Püree oder Dipsaucen verarbeitet werden.

MAISKOLBEN – müssen bei mir im Ganzen indirekt gegrillt und am heißen Grillrost „von der Flamme geküsst" werden; mit Butter, Salz und Chili serviert gehört Mais für mich in der Saison zu fast jeder Grillerei.

MELANZANI UND ZUCCHINI – hier lautet meine Devise „je stärker, umso besser", weil dicker geschnittene Scheiben sich besser zum Grillen eignen als dünne.

PAPRIKA, ZWIEBELN, JUNGZWIEBELN UND KAROTTEN – werden bei mir meist kurz gegrillt, dafür liebe ich vor allem den WOK!

PARADEISER, ERDÄPFEL UND ZUCCHINI – eignen sich bestens zum Füllen und werden dann indirekt gegrillt.

SALATHERZEN – damit sorge ich bei meinen Grillereien immer wieder für Überraschung, sogar Profis sind beeindruckt, wenn ich den gegrillten Salat mit passender Vinaigrette auftrage.

SPARGEL (WEISS UND GRÜN) – direkt gegrillt und fein mariniert erzeugt Spargel stets eine wahre Geschmacksexplosion, aber auch in der Papilotte (Pergamenthülle) eingehüllt und indirekt gegrillt, mit einer beliebigen Marinade serviert, ist Spargel für mich unschlagbar.

GESUNDES GRILLEN

Grillen ist nicht nur eine Lebensphilosophie, sondern eine ganz besondere Art der Garung — vor allem eine gesunde, vorausgesetzt, man befolgt einige Regeln.

Sicher ist: Grillen kann Glücksgefühle erzeugen und somit zu mehr Vitalität und Lebenslust führen. Knackpunkt dabei ist, dass die Rohprodukte - wie wir Griller gerne sagen - „vergoldet und nicht verkohlt" werden. Dafür ist in erster Linie der richtige Umgang mit Hitze sowie der bewusste Einsatz von direkten oder indirekten Zonen beim Grillen maßgebend. Wird das Grillgut auf die richtige Weise gegrillt, so entsteht eine schöne braune Kruste, die nicht nur sehr schmackhaft, sondern auch gesundheitsfördernd ist, denn sie besitzt antioxidative und magenschützende Inhaltsstoffe.

Problematischer wird es, wenn Lebensmittel sehr viel Fett enthalten bzw. mit zu viel Öl mariniert werden und das Fett direkt auf die glühenden Kohlen tropft. Dadurch kommt es zum sogenannten Fettbrand. Die Flammenspitze erzeugt Ruß und es entsteht gesundheitsschädliches Benzpyren, ein Vorgang, den man unbedingt vermeiden sollte. Auch bei Gas- oder Elektrogrillgeräten ist darauf zu achten, dass es nicht zu einem Fettbrand kommt.

VON DER FLAMME GEKÜSST

Sollte das Fleisch dennoch einmal „von der Flamme geküsst" werden, so ist das weder gesundheitsbedrohlich noch ein Krebsrisiko. Die Dosis macht das Gift, das ist auch hier das Motto. Raucher bitte weghören, aber ein Ernährungswissenschaftler hat mir erzählt, dass das Rauchen einer Zigarette mehr Schadstoffe verursacht als der Verzehr von 30 kg verkohltem Fleisch.

Dazu ein kleiner Test: Lassen Sie eine Scheibe Toastbrot absichtlich verkohlen und versuchen Sie dann, sie zu essen. Sie werden es genauso wenig schaffen wie 30 kg verkohltes Fleisch zu sich zu nehmen. Eine Zigarette ist hingegen locker in 5 Minuten geraucht. Fazit: Rauchen ist, wie wir alle wissen, schädlich, vernünftiges Grillen hingegen keineswegs.

Auf die oft angepriesenen Aluminiumtassen sollte man beim Grillen allerdings besser verzichten, da sich aus deren Material beim Kontakt mit salz- oder säurehaltigen Lebensmitteln Alu-Salze lösen. Wenn Sie Fleisch, Gemüse oder Fisch marinieren bzw. salzen wollen, dann verwenden Sie lieber Gefäße aus Keramik oder Edelstahl. Die sind sicher und leicht zu reinigen.

GRILLEN UND WÜRZEN

So perfekt ein Steak auch gegrillt sein mag, ohne passende Würzung wird es uns nicht schmecken.

Wer dabei profimäßig vorgehen möchte, mixt aus verschiedenen Zutaten einen sogenannten Rub, eine spezielle Würzmischung, mit der das Fleisch eingerieben wird. Auch Toppings tragen wesentlich zur Verfeinerung von Gegrilltem bei. Damit bezeichnet man Würzmarinaden bzw. Gewürz- und Kräutermischungen, die beim Finish aufgetragen werden und dem Grillgut den letzten Kick verleihen. Meine diesbezüglichen Favoriten verrate ich im Anschluss.

SALZ

Wir Menschen brauchen Salz zum Überleben. Wissenschaftlich formuliert liest sich das so: Natriumchlorid sorgt dafür, dass der Elektrolythaushalt im Gleichgewicht bleibt. Salz ist aber auch wichtig für den Geschmack, Ungesalzenes schmeckt einfach nicht so fein wie Gesalzenes. Also ist Salz in vielen Lebensmitteln enthalten, weshalb wir über den Tag verteilt viel mehr Salz zu uns nehmen, als wir vermuten. Salz besteht zu 97–98 % aus Natriumchlorid, egal, wie es heißt oder woher es kommt. Die restlichen 2–3 % bzw. die unterschiedlichen Färbungen von Salz sind auf Mineralien oder Verunreinigungen der verschiedensten Art zurückzuführen.

Was macht nun den Hype um exklusive Salze wie Himalayasalz oder Fleur de Sel aus? Das Geheimnis liegt im Mundgefühl, im unterschiedlichen „Crunch". Je luftiger und großvolumiger die Salzkörner sind, desto weniger intensiv schmecken sie, grobkörniges Salz löst sich in Gerichten langsamer auf als feinkörniges. Ob Sie nun Stein- oder Meersalz bevorzugen, ist letztlich eine Glaubensfrage.

KRÄUTER

Gezielt eingesetzt, geben Kräuter Gegrilltem den richtigen Kick, garantieren Hochgenuss und sind zudem noch gesund.

FRISCH ODER GETROCKNET?

Kräuter schmecken am besten, wenn man sie frisch verwendet und ihr ganzes Aroma zur Geltung kommt. Allerdings müssen frische Kräuter rasch verarbeitet werden, da sie sich nicht lange lagern lassen, sie sind auch nicht immer zur Hand. Getrocknete Kräuter lassen sich im Vergleich zu frischen Kräutern hingegen sehr lange (luftdicht) aufbewahren. Tiefgekühlte Kräuter haben den Nachteil, dass sie sehr an Geschmack verlieren und nach dem Auftauen matschig sind. Daher verwende ich zum Marinieren oder für Gewürzmischungen am liebsten getrocknete oder gefriergetrocknete Kräuter. Für das letzte Finish, bei dem es vor allem um die wertvollen ätherischen Öle und den vollen Geschmack der Kräuter geht, bevorzuge ich frisch gehackte Kräuter. Mein Tipp: Machen Sie aus frischen Kräutern Ihr eigenes Pesto, Kräutersalz oder Kräuteröl – zum Verfeinern von Gegrilltem eignet sich alles.

FÜR ALLES EIN KRÄUTLEIN

BÄRLAUCH
Schmeckt ähnlich wie Knoblauch, der Geschmack verflüchtigt sich allerdings schneller; ist vielseitig einsetzbar und wirkt blutdrucksenkend.

BASILIKUM
Passt zu fast allen Gerichten, sein Aroma bringt es frisch gehackt am besten zur Geltung.

BEIFUSS
Das ideale Kraut für fette und deftige Speisen, optimal für die Fettverdauung.

BOHNENKRAUT
Leicht pfeffrig im Geschmack, wirkt belebend.

ESTRAGON
Hat einen hohen Gehalt an ätherischen Ölen und regt den Appetit an.

KORIANDER

Liebt man oder liebt man nicht; schmeckt nach Anis, passt zu asiatischen Gerichten und lindert das Völlegefühl.

LIEBSTÖCKEL

Besitzt ein intensives Aroma, wird gerne für Suppen, Salate und Schmorgerichte verwendet und wirkt lindernd bei Rheuma und Gicht.

PETERSILIE

Enthält viel Vitamin C sowie Calcium, ist vielseitig einsetzbar und wirkt blutreinigend.

ROSMARIN

Klassiker für mediterrane Gerichte, vielseitig einsetzbar, wirkt bei Nervosität beruhigend.

SCHNITTLAUCH

Passt zu herzhaften Gerichten und Salaten, stärkt die Abwehrkräfte.

THYMIAN

Würzig-süßlicher Geschmack, entfaltet sich bei Hitze und wirkt schleimlösend.

TOPPINGS

Sie sind der krönende Abschluss und für mich ganz wesentlich: Toppings, die jedes Grillgericht zur Gaumen-Akrobatik werden lassen. Man verwendet dafür meist Marinaden oder Gewürz- und Kräutermischungen, die nach dem Grillen aufgetragen werden. Der Fantasie sind dabei keine Grenzen gesetzt, erlaubt ist, was schmeckt. Kombinieren Sie einfach Ihre Lieblingsaromen, -gewürze und -düfte, es gibt keine strengen Regeln. Im Folgenden verrate ich Ihnen meine Favoriten.

FISCH-TOPPING

Fischgerichte vollende ich gerne mit Chimichurri-Marinade (argentinische Kräutersauce) oder schlicht mit Kräuter-Pesto.

GEFLÜGEL-TOPPING

Zartes Fleisch von gegrilltem Geflügel harmoniert für mich bestens mit einem Topping aus Mandelstiften, Orangenzesten, fein gehackten Kräutern, einem Schuss Olivenöl und einem Spritzer Zitronen- oder Limettensaft.

GRILLKÄSE-TOPPING

Gegrillter Käse schmeckt noch besser, wenn ich ihn mit meiner selbstgemachten Gewürz- oder Pfeffermischung finishe. Dafür vermenge ich Gewürze, Pfeffer und Kräuter nach Geschmack und Saison und streue die Mischung über den gegrillten Käse.

PIKANTES TOPPING

Zum Verfeinern von Lamm- und Schweinefleisch sowie Steaks finde ich zur Abwechslung ein Topping aus gehackten Schalotten, Kapern, Zitronenzesten, Petersilie und braun geschmolzener Butter echt spannend. Das Fleisch darin kurz schwenken und beim Anrichten nochmals damit nappieren.

SOMMER-TOPPING

In der heißen Jahreszeit verwende ich für kurz gebratene Steaks nach dem Grillen ein Topping aus Honig, Limettenschale und -saft, einem Schuss Olivenöl, Salz sowie gutem hochwertigen Pfeffer aus der Mühle (oder gemörsert). Vor dem Auftragen damit bestreichen – und das Steak hat den richtigen Sommer-Punch.

TOPPING FÜR INDIREKTES GRILLEN UND SMOKEN

Bei indirekt gegrilltem oder gesmoktem Grillgut eignet sich eine Marinade aus Whisky, Honig und Butter – alles zu gleichen Teilen aufgemixt – ideal zum Finishen.

WILD-TOPPING

Thymian passt zu gegrilltem Wildfleisch besonders gut, daher hacke ich ihn fein und vermenge ihn mit etwas Honig und Olivenöl. Bevor ich das Fleisch damit mariniere, besprühe ich es mit hochwertigem Essig aus der Sprühflasche, dann bestreiche ich es dünn mit dem Topping und schneide es auf – schmeckt Weltklasse!

WINTER-TOPPING

In der kalten Jahreszeit stehen bei mir eher volle Aromen im Vordergrund. Ich röste dafür Kaffeebohnen kurz an, mahle oder zerstoße sie im Mörser und mische sie mit Zimt und braunem Zucker. Das gegrillte Fleischstück ziehe ich durch nussbraun geschmolzene Butter, bestreue es mit dem Topping und lasse es dann nochmals kurz rasten.

NIEDERÖSTERREICH

Die Heimat eines Kochs ist dort, wo sich seine Küche befindet. Also ist Göttlesbrunn im östlichen Niederösterreich mittlerweile meine Heimat, auch wenn ich gebürtiger Wiener bin. Hier, inmitten des Weinbaugebiets Carnuntum habe ich gemeinsam mit meiner Frau Bettina vor 15 Jahren das „Genusswirtshaus Bittermann" gegründet. Einige Zeit später, im Jahr 2010, konnte ich meinen lang gehegten Plan verwirklichen und die „1. Carnuntum Grillschule" eröffnen. Schritt für Schritt konnte ich eine mittlerweile erfreulich große Anzahl an Grillfreaks mit meiner Leidenschaft für Feuer und Flamme anstecken, sie dafür begeistern, sich nicht nur der Technik des Grillens zu widmen, sondern auch dem Lebensmittel Fleisch mehr Beachtung zu schenken und sorgsam damit umzugehen. In meinen Kursen haben wir viel gegrillt, aber ebenso viel diskutiert, und ich habe wunderbare Freundschaften geschlossen. Nicht zuletzt ist die Idee zu diesem Buch dadurch entstanden, dass mich immer mehr Freunde und Bekannte gebeten haben, ihnen beim Grillen über die Schulter zu schauen.

VIER VIERTEL

Ohne Grillleidenschaft gäbe es wohl auch meine Freundschaft zu Adi Matzek nicht. Der Top-Profi betreibt bei Altenburg im Waldviertel eine Grillschule und hat mit mir bereits zwei Grillbücher geschrieben. Apropos Waldviertel. Es ist eines von vier Vierteln, in die Niederösterreich unterteilt wird, und gilt als landschaftlich sehr reizvoll, aber rau im Klima. Kalte Winter mit raureifbedeckten Bäumen, die berühmten Wackelsteine und der Nationalpark Thayatal lassen mich immer wieder gerne ins Waldviertel fahren. Zumal ich von dort auch immer wieder prächtige Karpfen mitbringe, die neben Mohn und Erdäpfeln für das kulinarische Waldviertel typisch sind. Wein- und Mostviertel sowie das Viertel unter dem Wienerwald sind die drei anderen Viertel im flächenmäßig größten Bundesland Österreichs. Jedes der Viertel ist eine Erkundungsreise wert, denn wie kaum ein anderes Bundesland kann Niederösterreich mit einer äußerst abwechslungsreichen Landschaft aufwarten. Zerklüftete Berge wie Rax oder Schneeberg sind hier ebenso zu finden wie sanfte Täler mit ausgedehnten Streuobstwiesen, Hochmoor- und Heidelandschaften ebenso wie steile Schluchten und romantische Teiche und Seen. Die Wachau mit der beeindruckenden Baumblüte ist touristisch ein Selbstläufer, und ich profitiere von den vielen Gästen, die unsere Rad- und Wanderwege nutzen, die Natur genießen und dabei einen kulinarischen Zwischenstopp in unserem Wirtshaus einlegen.

KULINARISCHER BAUCHLADEN

Ich bezeichne Niederösterreich gerne als Schlaraffenland oder kulinarischen Bauchladen, denn es gibt kaum etwas, das hier nicht wachsen und gedeihen würde. Soweit es mir möglich ist, nutze ich diesen Vorteil und decke meinen Bedarf mit regionalen Produkten. Angefangen von der Wachauer Marille mit geschützter Ursprungsbezeichnung und dem Spargel aus dem Marchfeld über die vielfach prämierte Weinviertler Blunz'n, den Kürbis aus dem Retzerland sowie Obst und Gemüse bis hin zum süffigen Most – und natürlich dem herrlichen Wein. Bei Letzterem ist meine Frau Bettina die Expertin, sie widmet sich mit viel Liebe dem Thema und überrascht mich bei privaten Grillabenden immer wieder mit Neuentdeckungen. Aber auch beim Fleisch kann man sich getrost auf niederösterreichische Qualität verlassen. Besonders gerne verarbeite ich Duroc-Schwein, Alpenvorland-Rind oder Fleisch der Rinderbörse Gut Streitdorf, Lammfleisch aus dem Pielachtal sowie Fische vom Gut Dornau. Da Niederösterreich zu etwa 40 Prozent von Wald bedeckt ist, kommen auch Wild-Liebhaber auf ihre Kosten. Hirsch, Reh, Gämsen oder Wildschwein, all das eignet sich hervorragend zum Garen auf dem Grill und steht in meinen Kursen regelmäßig auf dem „Lehrplan". Wie fein, dass wir all diese Delikatessen in Niederösterreich direkt vor der Haustüre haben.

JENNY GRUBER

ICH GRILLE AM LIEBSTEN AUF ...

„Ich liebe jeden Grill, der einen Deckel oder eine Haube hat. Im Übrigen bin ich nicht wählerisch, denn dafür habe ich einfach zu viele Geräte."

HOPPALA

„Die Wege unseres landwirtschaftlichen Betriebes sind mit schwarzem Kies bestreut. Zum Auskühlen der Dutch Ovens perfekt, leider nur schwer zu sehen, wenn die Sonne schon tiefer steht. Einmal hat sich ein Dutch Oven bei untergehender Sonne so perfekt getarnt, dass ihn mein Schwiegervater mit seinem Auto einfach überfahren hat. Zum Glück blieben Fahrer und Auto heil, mein Dutch Oven bekam lediglich einen kleinen Haarriss ab und wird seither nur noch für das Backen verwendet."

BACKSTEIN, GRILL UND VOLLBLUT-PROFI

Die einen müssen eine schöne Stange Geld für ihre sündteuren Grillgeräte hinblättern, die anderen gewinnen sie bei Wettbewerben. Jenny Gruber gehört zu Letzteren, aber das ist nicht das einzige Außergewöhnliche an ihr.

Während andere junge Frauen in ihrem Alter die Garderobe mit schicken Schuhen und Kleidern vollstopfen, musste sie ihren Mann bitten, einen eigenen Raum für ihre Grill-Sammlung zu bauen. Seit 2020 besitzt sie auch einen Grillanhänger, so schafft sie zusätzlich Platz und hat beim Grillen all ihre unentbehrlichen „Küchenfreunde" immer bei der Hand. Dazu zählen unter anderem „einige Holzkohlegrills, ein 8-Brenner-Gasgrill, neun Dutch Ovens, ein What a WOK, einige Backsteine für meine Brote und Pizzakurse, vier Kenwoods, die ich ebenfalls gewonnen habe, davon zwei bei ‚Kruste und Krume', dem Vienna Brotbackfestival 2017 und 2019, und zwei Pulse 2000 als Reserve. Den Pulse 2000, den ich als „Genussgrillerin des Jahres" gewonnen habe, habe ich im Dezember 2020 der Lebenshilfe Kemmelbach gespendet. Und schließlich der Smoker als Gewinn der Grillstaatsmeisterschaften 2019, auf den ich besonders stolz bin", komplettiert Jenny die mehr als beachtliche Bestandsliste ihrer Grillgeräte.

STAATSMEISTERLICHE RINDSROULADEN

Als selbständige Seminarbäuerin hat sich die bei Melk lebende zweifache Mutter im Laufe ihrer Karriere für so allerlei interessiert. Sie ist diplomierte Kräuterpädagogin nach Ignaz Schliefni und „Sensorikerin der Bundesgenusskrone", hält selbst Koch- und Brotbackkurse und hatte auch stets Spaß beim Grillen. Nach einigen Grillkursen bei Adi Matzek und Leo Gradl im Weber Store in Brunn am Gebirge kam zum Spaß noch der Ehrgeiz dazu. Gleich der erste Bewerb, an dem Jenny im Jahr 2019 gemeinsam mit ihrer Mutter Andrea teilnahm, brachte dem Damen-Duo für ihre Rindsrouladen den Staatsmeistertitel ein. Zahlreiche weitere Prämierungen folgten in der doch recht kurzen Zeitspanne seither – und damit der erwähnte Reigen an Preisen in Form von ultimativen Grillgeräten. „Es gibt kein größeres Geschenk für mich als in meiner Freizeit zu grillen, zu backen und aus meinen Wildkräutern etwas zu zaubern", gesteht die Multitaskerin, die das Glück hat, vieles aus der eigenen Landwirtschaft verwenden zu können.

AUS MEINEM GARTEN STEIGT VIEL RAUCH

Obst, Gemüse, Kräuter – all das kommt aus der Gruber'schen Landwirtschaft. „Tiere halten wir keine, aber mein Vater füttert Geflügel zum Eigengebrauch und er ist Fleischhacker, daher suren, selchen und spicken wir selbst. Ich bin auch beim Schlachten, Rupfen und Verarbeiten der Hühner dabei. Auch meine Kinder dürfen mithelfen, um zu erleben, wo unser wertvolles Fleisch herkommt. Das ist Respekt vor dem Lebensmittel." Was Jenny weiters zur Ausnahmegrillerin macht, ist ihre Vorliebe für Brot vom Grill. Ein Duft, der bei Grillereien nicht hinter jedem Gartenzaun zu erschnuppern ist. Kein Wunder, dass da so manch einer der Nachbarn und Freunde ganz gerne der Nase nach geht. Ob frisch gegrilltes Brot oder gesmoktes Fleisch, Grillen belebt die Sozialkontakte der Staatsmeisterin gehörig. „Ja, aus meinem Garten steigt sehr viel Rauch auf und lockt Grillfreunde an. So sitzen wir beieinander, es werden wieder neue Ideen für die nächsten Grillkurse gesammelt oder ausgetüftelt und oft auch gleich verkostet." Die auf den folgenden Seiten vorgestellten Rezepte belegen, wie ergiebig solche Treffen sein können ...

☞ **DER SPEZIELLE TIPP ZUM REZEPT**

Zu diesem sicherlich nicht ganz
alltäglichen Grillrezept serviere ich
gerne Sauerrahmsauce.

JENNY GRUBER — NIEDERÖSTERREICH

LANGOS MIT KRAUTFÜLLE VOM „WHAT A WOK"

ZUBEREITUNG

1 Aus Mehl, Öl, Wasser, Salz, Hefe und Kräutern einen geschmeidigen Teig kneten, zu einer Kugel formen und ca. 15 Minuten gehen lassen.

2 Inzwischen für die Fülle das Kraut fein schneiden, Zwiebel und Knoblauch fein hacken. Die Zwiebelwürfel in Öl goldgelb anrösten, Kraut und Knoblauch zugeben und weiter rösten. Sollte sich das Kraut am Boden anlegen, mit ein wenig Suppe aufgießen. Sobald das Kraut weich, aber noch bissfest ist, mit Salz, Kümmel und Paprikapulver sowie Kräutern abschmecken. Ich gebe auch immer etwas selbstgemachtes Suppenpulver dazu. Die Füllmasse auskühlen lassen. (Die Fülle muss kalt sein, da sich sonst der Teig nicht formen lässt.)

3 Teig ausrollen und runde Scheiben ausstechen. Mit Hilfe eines Löffels etwas Fülle in die Mitte jeder Teigscheibe setzen. Die Teigränder mit Ei bestreichen, Langos zu Täschchen zusammenklappen und gut festdrücken. Das kann durch kunstvolles Randeln geschehen oder durch einfaches Zusammendrücken mit einer Gabel. Öl im What a WOK erhitzen, die gefüllten Langos einlegen und knusprig ausbacken.

ZUTATEN

500 g Weizenmehl Type 700
20 g Öl
ca. 250 ml Wasser
12 g Salz
10 g frische Hefe
2 EL getrocknete Kräuter nach Wunsch
Ei zum Bestreichen
Öl zum Herausbacken

FÜR DIE KRAUTFÜLLE
500 g Weißkraut
1 große Zwiebel
1 Knoblauchzehe
1 EL Öl
ca. 50 ml klare Suppe bei Bedarf
Salz
1 TL Kümmel
1 TL Paprikapulver
Kräuter nach Belieben (Majoran, aber auch frische Kräuter wie Thymian, Bohnenkraut, Brennnesselsamen)
1 EL selbst gemachte Suppenwürze (fakultativ)

VERWENDETER GRILL
WHAT A WOK

FEINSCHMECKERBROT MIT SCHNITZMUSTER

VORBEREITUNG

1 Alle Zutaten zu einem geschmeidigen Teig verkneten, zu einer Kugel formen und etwa 40 Minuten rasten lassen. Dann nochmals durchkneten, in die gewünschte Gärform geben (Simperl, Schüssel etc.) und über Nacht in den Kühlschrank stellen. Davor den Teig abdecken, damit er nicht austrocknet.

ZUBEREITUNG

2 Am nächsten Tag den Teig aus dem Kühlschrank nehmen und aus dem Simperl geben. Mit etwas Roggenmehl bestauben und das Mehl leicht verteilen. Nach Belieben ein Muster in den Teig einschneiden, dabei können auch sehr feine Muster in den Teig geschnitten werden, da er in kühlem Zustand sehr stabil ist.

3 Den Grill auf 250 °C vorheizen und den Dutch Oven in den Grill stellen. Sobald der Dutch Oven schön heiß ist, den Teig hineinlegen, den Deckel schließen und das Brot bei (bis auf 180 °C) fallender Hitze auf eine Kerntemperatur von 96 °C backen.

ZUTATEN

400 g Weizenmehl Type 700
200 g Roggenmehl Type 960
200 ml Wasser
150 ml Milch
14 g Salz
5 g frische Hefe
Roggenmehl zum Bestauben

☞ **DER SPEZIELLE TIPP ZUM REZEPT**

Während das Brot über Nacht im Kühlschrank ist, entwickelt sich das herrlich feine Aroma. Der Teig kann übrigens bis zu 48 Stunden im Kühlschrank bleiben. Das tut ihm nur gut!

**VERWENDETER GRILL
HOLZKOHLE- ODER GASGRILL**

SÜSSE SCHICHTMUFFINS MIT LIMETTENGUSS

VORBEREITUNG

1 Für den Limettenzucker die abgeriebene Limettenschale mit Zucker vermischen und trocknen lassen. In dunkle Gläser füllen, da die Farbe der Limette sonst ausbleicht.

ZUBEREITUNG

2 Für den Teig alle Zutaten zu einem geschmeidigen Teig verkneten. Zu einer Kugel formen und ca. 30 Minuten gehen lassen. In der Zwischenzeit für die beiden Füllmassen jeweils alle Zutaten zu einer streichfähigen Masse vermengen.

3 Teig ausrollen und rund so groß ausstechen, dass die Scheiben in das Muffin-Blech passen. Die Muffinformen gut mit Butterschmalz ausstreichen, je eine Teigplatte hineinsetzen, jeweils mit Nuss- und Mohnmasse füllen und dazwischen je eine Teigplatte setzen. Die oberste Teigplatte mit verquirltem Ei bestreichen.

4 Einen Ziegel oder Backstein auf den vorgeizten Pulse 2000 legen, Muffinform daraufsetzen und bei 200 °C ca. 15 Minuten backen. Sobald die Muffins eine schöne Farbe haben, herausnehmen und auskühlen lassen.

5 Für den Limettenguss den Limettensaft mit so viel Staubzucker verrühren, dass eine sehr feste, aber streichfähige Masse entsteht. Die ausgekühlten Muffins mit dem Limettenguss bestreichen und mit dem vorbereiteten Limettenzucker bestreuen.

ZUTATEN

FÜR DEN TEIG
500 g Mehl
60 g Zucker
1 Pkg. Vanillezucker
70 g Butter
7 g Salz
20 g frische Hefe
ca. 250 ml Milch
Schuss Rum
1 Ei
Abrieb von 1 Zitrone

geschmolzenes Butterschmalz zum Ausstreichen
Ei zum Bestreichen

FÜR DIE NUSSFÜLLE
125 ml Milch, evtl. mit ein wenig Kaffee vermischt
80 g Zucker
200 g gemahlene Nüsse
70 g Semmelbrösel

FÜR DIE MOHNFÜLLE
200 g gemahlener Mohn
70 g Semmelbrösel
80 g Zucker
Zimt
2 EL Honig
200 ml Milch

FÜR DEN LIMETTENZUCKER
Limettenschale nach Geschmack
Zucker nach Geschmack

FÜR DEN LIMETTENGUSS
Saft von ½ Limette
Staubzucker nach Bedarf

**VERWENDETER GRILL
PULSE 2000 ELEKTROGRILL**

HERBERT BÖHM

ICH GRILLE AM LIEBSTEN AUF ...

„Wenn es schnell gehen soll, dann bevorzuge ich meinen Gasgrill. Für gesellige Grillevents mit Gästen verwende ich meist den Smoker oder — je nach Grillgut — auch den Holzkohlegrill. Gerne mache ich auch ein Lagerfeuer, über dem ich zünftiges Kesselgulasch zubereite, nur fehlt mir leider oft die Zeit, um das richtig zu zelebrieren."

HOPPALA

„Ich hatte einmal Hendln auf den Grillspieß gesteckt, musste aber unerwartet weg. Daher habe ich meinen Nachbarn gebeten, auf mein kostbares Gut achtzugeben. Allerdings war ihm sein Handy wichtiger als das Beobachten meiner Grillhühner. Das Ergebnis kann sich wohl jeder vorstellen: außen verkohlt, innen trocken."

GESELLIGER GASTGEBER GANZ OHNE STRESS

Mag sein, dass seine Reiselust in fremde Länder wie Kuba und die von dort mitgebrachten neuen kulinarischen Erfahrungen daran schuld sind, dass es bei Herbert Böhm einen Punkt gab, an dem ihn das simple Kotelett- und Würstelgrillen nur noch langweilte.

Vielleicht war es aber eher doch der Vergleich der eigenen Grillkünste mit jenen der Profis, denen der Niederösterreicher aus Ebergassing gerne bei diversen Fernsehsendungen über die Schulter sah und immer noch sieht. Fazit: Der im Brotberuf bei A1 als Teamleiter tätige Grillfan wollte es eines Tages so richtig wissen – und buchte einen Grillkurs bei Adi Bittermann. Seither weiß er nicht nur, wie es besser geht, sondern kommt davon gar nicht mehr los. „Ich liebe den Geschmack von Gegrilltem, egal, ob es sich dabei um Fleisch, Fisch, Huhn oder Gemüse handelt. Auch die meist kurze Zubereitungszeit ist phantastisch und außerdem liegt mir viel an der Geselligkeit, die damit verbunden ist."

HAPPY BIRTHDAY AM WINTER-GRILL

Diese Freude am gemütlichen Zusammensein mit Freunden und Familie lässt Herbert seine Grillrezepte sehr bedacht auswählen. „Ich will meine Begeisterung und vor allem die Überzeugung weitergeben, dass Grillen für den Gastgeber nicht zwangsläufig stressig sein muss. Der Gastgeber sollte die Einladung genauso genießen können wie seine Gäste. Dafür muss man alles sorgfältig vorbereiten und strukturiert vorgehen, es will erlernt werden, was wann wie lange braucht und wie man so grillt, dass alles zugleich auf den Teller kommen kann." Grillmeister Böhm kann es auf jeden Fall dank weiterer Fortbildung in unterschiedlichen Grillseminaren. So darf sich sein Freundeskreis jedes Jahr auf den Geburtstag des Grillzampanos freuen, der standesgemäß rund um die Feuerstelle zelebriert wird – auch wenn es im Dezember bitterkalt sein kann. Das ein oder andere Glas Glühwein zum Pulled Pork im Sandwich oder dem gesmokten Schopfbraten mit kräftigen Knödeln aus dem Dutch Oven sorgen für Wärme von innen.

TATORT NIEDERÖSTERREICH

Im Übrigen bevorzugt der begeisterte Skifahrer und Hobbyfotograf aber doch eher die warme Jahreszeit fürs Garen über offenem Feuer. Immerhin stehen dann all die sommerlich saisonalen Produkte zur Verfügung, die er so schätzt. „Außer Fleisch bereite ich auch sehr gerne Pilze auf dem Grill zu, Eierschwammerl beispielsweise im Wok oder panierten Parasol in der schweren Gusspfanne. Die Kräuter aus dem eigenen Garten landen in den selbstgemachten Grillsaucen, die für mich ein absolutes Muss sind. Gemüse, etwa für feine Wok-Nudeln, und Erdäpfel beziehe ich ebenfalls regional. Das Fleisch kommt aus der Region, z.B. Mangalitza-Schwein aus Reisenberg, Tullnerfelder Schwein oder österreichischer Jungstier. Für gute Qualität bin ich gerne bereit, auch etwas mehr zu zahlen!" Seiner Heimat Niederösterreich bleibt der passionierte Biertrinker auch dann verpflichtet, wenn es zu ganz besonderen Grillereien wie hochwertigem Tomahawk-Steak oder Dry Aged Beef ausnahmsweise ein Glaserl wirklich guten Wein gibt: „Diesen Wein hole ich aus dem Weingebiet rund um Schiltern bei Langenlois." Warum in die Ferne schweifen, wenn das Gute so nah liegt?

GESMOKTE RINDERSCHULTER MIT BREZENKNÖDEL VOM GRILL

VORBEREITUNG

1 Für den Rub alle Zutaten gut miteinander vermengen. Die Rinderschulter leicht zuputzen. Den Selchspeck in kleine Würfel schneiden, das Fleisch damit spicken und mit dem Rub großzügig und fest einreiben. Fleisch in Frischhaltefolie gut einwickeln (oder vakuumieren) und 24 Stunden marinieren.

ZUBEREITUNG

2 Am nächsten Tag den Smoker oder Kugelgrill auf ca. 100–120 °C aufheizen. In Wasser eingeweichte Whisky-Chips auf die Grillkohle legen, eine Abtropfschale mit ca. 750 ml Rotwein füllen und in den Smoker oder Kugelgrill stellen. Die marinierte Rinderschulter indirekt darüber platzieren und insgesamt ca. 5–6 Stunden smoken. Währenddessen für die Melassesauce alle Zutaten vermengen und einmal kräftig aufkochen lassen.

3 Nach ca. 2 Stunden das Fleisch kräftig mit der Melassesauce einstreichen und diesen Vorgang jede Stunde wiederholen. Nach etwa 4 Stunden die Rinderschulter in Backpapier einwickeln, dabei den vorhandenen Rotweinsaft sowie die restlichen 250 ml Rotwein zugießen und mit Butter verfeinern. Backpapier fest verschließen und den Braten noch etwa 1–2 Stunden weiter smoken.

weiterblättern
☞

ZUTATEN ①

2—3 kg Rinderschulter
vom österreichischen Jungstier
200 g Selchspeck
Whisky-Chips zum Smoken
1 l Rotwein
30 g Butter

FÜR DEN RINDER-RUB

8 EL edelsüßes Paprikapulver
1 EL Chilipulver
8 EL brauner Zucker
1 EL gemahlener schwarzer Pfeffer
2 EL Cayennepfeffer
2 EL Knoblauchgranulat
16 EL grobes Meersalz

FÜR DIE MELASSESAUCE

250 ml hochwertiger Ketchup
75 ml Apfelessig
2 EL brauner Zucker
4 TL Worcestershiresauce
1 EL Honig
1 EL Melasse (online und im Reformhaus erhältlich; alternativ Zuckerrübensirup oder Rohrzucker)
½ TL Knoblauchpulver

**VERWENDETER GRILL
SMOKER ODER KUGELGRILL**

GESMOKTE RINDERSCHULTER MIT BREZENKNÖDEL VOM GRILL

4 Währenddessen für den Brezenknödel eine Pfanne auf dem Grill erhitzen. Speck in Streifen schneiden, anbraten und erst danach Butter, Zwiebel- und Knoblauchwürfel zugeben. So lange durchrösten, bis die Zwiebeln goldbraun sind. Gehackte Petersilie hinzufügen, die Pfanne vom Grill nehmen und die Masse abkühlen lassen. Das Laugengebäck würfelig schneiden. Eier in einer großen Schüssel mit einem Mixstab schaumig schlagen. Topfen unterrühren und mit sämtlichen anderen Zutaten gut vermengen. Abschmecken und 15 Minuten ruhen lassen. Ein Stück Backpapier auflegen, mit Butter gut bestreichen, die Masse darauf verteilen und zu einer lockeren Rolle formen. Dann in Alufolie einrollen und gut verschließen. Die Knödelrolle auf die indirekte Zone des Grills legen, Deckel schließen und 35–45 Minuten grillen. Fertig gegrillte Knödelrolle auspacken und in Scheiben schneiden.

5 Die fertig gesmokte Rinderschulter aus dem Backpapier nehmen, in Scheiben schneiden und mit dem verbliebenen Bratenfond sowie den vorbereiteten Brezenknödelscheiben anrichten.

ZUTATEN ②

FÜR DEN BREZENKNÖDEL
50 g geräucherter Speck
20 g Butter
50 g fein geschnittene Zwiebeln
5 g fein gewürfelter Knoblauch
10 g fein gehackte Petersilie
200 g Laugenbrezeln (oder Laugengebäck)
3 Eier
100 g Magertopfen
150 ml Milch
Salz
Cayennepfeffer
Muskatnuss
Butter zum Bestreichen

☞ **DER SPEZIELLE TIPP ZUM REZEPT**

Wenn man lieber mit einem Kerntemperaturfühler arbeitet: Die Zieltemperatur sollte 75—83 °C betragen. Der Brezenknödel schmeckt mir auch ganz ohne Fleisch, dazu passt ein frischer Salat.

**VERWENDETER GRILL
SMOKER ODER KUGELGRILL**

PETRA UND CHRISTIAN HAUPTMANN

ICH GRILLE AM LIEBSTEN AUF ...

„Mir sind Gas- und Holzkohlegrill eigentlich gleich lieb, je nach vorhandener Zeit und Grillgut. Für besondere Rezepte verwende ich auch gerne die Gusseisenpfanne sowie den Dutch Oven und am Wochenende kommt natürlich oft der Smoker zum Einsatz", verrät Christian.

HOPPALA

„Abgesehen von einem veritablen Fettbrand beim Gasgrill, bei dem ich zur großen Verwunderung meiner Frau gelassen und ruhig einfach abgewartet habe, bis das Feuer erlosch, ist mir zwar kein Hoppala, aber ein besonders nettes Grillerlebnis in Erinnerung geblieben: Wir waren bei meinem Freund Herbert Böhm zu einer Poolparty eingeladen. Als Überraschung haben wir bereits bei uns zu Hause Buchteln vorbereitet und bei ihm ohne viel Aufhebens fertig gegart. Als wir schließlich den Deckel von unserem Dutch Oven abhoben, ging ein erstauntes Raunen durch die Runde — Buchteln vom Grill hatten die meisten Gäste bis dahin noch nie verkostet!"

DAS PERFEKTE GRILL-DUO

„Stundenlang am Grill zu warten, bis das Fleisch den richtigen Garpunkt erreicht hat, überlasse ich gerne meinem Mann", steckt Petra Hauptmann ihre Claims beim Grillen ab.

„Ich laufe dafür bei den Vorbereitungen zur Höchstform auf, wie das Fleisch gewürzt wird, welche Beilagen-Kombinationen wir probieren könnten – und vor allem, welches Dessert wir einplanen, das ist meine Domäne! Wir haben viele Grillseminare besucht, bei den wenigstens gab es einen überzeugenden süßen Abschluss. Das hat mich gestört und da will ich Abhilfe schaffen!" Dass ihr das mit Bravour gelingt, beweisen die raffinierten Gerichte, mit denen die Grillmeisterin aus Margarethen am Moos ihre Gäste am Ende eines vergnüglichen Grillevents verwöhnt. Für uns kreiert Petra köstliche Carnuntum Sweet Rolls, die Erinnerungen an Pofesen wecken, aber im Geschmack dann doch ganz anders sind. Begleitet werden sie von einer kräftigen Sauce mit Wein aus Carnuntum – daher auch der Name.

NICHT ALLEIN GRILLEN

Ganz anders der Zugang der zweiten Hälfte des Grillmeister-Duetts. Ehemann Christian sieht seine große Affinität zu glühenden Kohlen und dem, was darauf liegt, in seiner Herkunft begründet: „Meine Eltern hatten einen Fleischereibetrieb und bei uns wurde regelmäßig gegrillt, was mich damals schon faszinierte. Auch ich habe gerne gegrillt, aber nichts Besonderes – bis ich mit meinem Freund Herbert Böhm (s. S. 33) das erste Seminar bei Adi Bittermann besuchte. Seit damals hat sich mein Grillverhalten komplett verändert. Es musste ein Kugelgrill her, einen Gasgrill hatte ich schon, dann kamen ein zweiter Kugelgrill, ein Smoker, ein Dutch Oven,

ein Pizzastein und noch einiges an Zubehör." Es ist die Freude am Jonglieren mit Röstaromen, die den passionierten Segler mit eigenem Segelboot am Neusiedler See bis zu drei Mal wöchentlich den Grill anwerfen lässt. Aber auch das gesellige Beisammensein mit Freunden und Familie. „Ich liebe es, wenn sich Menschen um den Grill versammeln und aufs Essen warten."

GRILLSPIESSCHEN FÜR DEN HL. FLORIAN

Als gelernter Fleischhauer, der seit 26 Jahren beim Fleischverarbeitungsbetrieb Wiesbauer arbeitet, sitzt Christian beim Fleischeinkauf direkt an der Quelle. Die Antwort auf unsere Frage, was er denn am liebsten grille, gleicht denn auch einem Impulsvortrag über Fleischkunde. Vom Fleisch der Kalbin ist da die Rede, von Tomahawk und Beiried, von Lungenbraten und Duroc-Schopf, von ganzen Hühnern und frischen Würsteln. Hauptsache, das Fleisch ist hochwertig. Für vegetarisch orientierte Gäste offeriert der Hausherr gern Gemüse-Halloumi-Spieße, Flammkuchen oder knusprige Veggie-Pizza. Dabei ist er dankbar für jedes Paar helfender Hände. „Meine Frau ist nicht nur die Meisterin der Desserts, sie bereitet auch die Rubs vor, die Saucen, Beilagen und Salate, unterstützt von unserer Tochter Julia. Vor allem, wenn es um die Vorbereitung der Unmengen von Schweinsfiletspießen geht, die beim Frühschoppen der örtlichen Freiwilligen Feuerwehr auf den Grill kommen." Sicher eine Herausforderung, doch auch beruhigend, dass die Florianijünger im Notfall gleich zur Stelle wären ...

IN BIRKENRAUCH GEGRILLTE HÜHNERKEULE MIT PAPRIKA-REIS

ZUBEREITUNG

1 Einen halben Anzündkamin mit Briketts anzünden. Inzwischen für den Hühner-Rub sämtliche Gewürze miteinander vermengen. Hühnerkeulen bei Bedarf zuputzen und mit der Gewürzmischung einreiben.

2 Nach ca. 12–14 Minuten die Briketts in den Kohlenkorb geben (nur einen Korb verwenden, sonst werden die Hühnerkeulen zu dunkel) und den Korb seitlich positionieren. Den Grill bis auf 180–200 °C vorheizen und einregeln. Dann die gewürzten Hühnerkeulen in die indirekte Zone legen und die gewässerten Birkenholzchips auf die Glut geben. Den Deckel schließen und die Keulen je nach Größe 30–35 Minuten grillen.

3 Für den Paprikareis den Reis nach Anleitung kochen, dabei allerdings einen Teil Wasser durch Suppe bzw. Fond ersetzen. Das Salzen trotzdem nicht vergessen. Während der Reis kocht, die Paprikaschoten zuputzen und in kleine Würfel schneiden. Zwiebel ebenfalls kleinwürfelig schneiden, Knoblauch hacken. Die Zwiebelwürfel in etwas Butter oder Öl glasig anschwitzen, Knoblauch und Paprikawürfel hinzufügen und alles bissfest rösten. Fertig gekochten Reis abgießen, abtropfen lassen, zugeben, durchmengen und nochmals abschmecken.

4 Parallel ca. 15 Minuten, bevor die Keulen fertig sind, die Butter erwärmen und das Paprikapulver untermischen. Ca. 10 Minuten vor Garende die Keulen mit dem Butter-Paprika-Gemisch einstreichen. Die Lüftungsschieber komplett öffnen, damit die Temperatur im Grill noch etwas ansteigt und die Keulen weitere 10–15 Minuten grillen, bis die Keulen eine schöne Farbe erreichen. Mit dem Paprikareis auftragen.

ZUTATEN

6 Hühnerkeulen
1 Handvoll ca. 2 Stunden gewässerte Birkenholzchips
ca. 40 g Butter
1 gehäufter EL edelsüßes Paprikapulver

FÜR DEN HÜHNER-RUB
40 g grobes Meersalz
4 g geschroteter Pfeffer
2 g gemahlener Rosmarin
2 g Chilipulver

FÜR DEN PAPRIKAREIS
250 g Langkornreis
klare Hühner- oder Rindsuppe bzw. Fond nach Bedarf
Salz
300 g bunt gemischte Paprikaschoten
1 kleine Zwiebel
2 Knoblauchzehen
Butter oder Öl zum Anschwitzen
Pfeffer

**VERWENDETER GRILL
WEBER KUGELGRILL 57,
MASTER TOUCH,
MIT NUR 1 KOHLENKORB**

👉 DER SPEZIELLE TIPP ZUM REZEPT

Das Bestreichen der Keulen mit der Paprikabutter müsste nicht sein, aber es macht die Hühner–haxerl so herrlich knusprig und goldbraun. Um sicherzugehen, dass das Hühnerfleisch wirklich durchgegart ist, verwende ich manchmal einen Kerntemperaturfühler. In diesem Fall peile ich eine Kerntemperatur von 80 °C an.

CARNUNTUM SWEET ROLLS

ZUBEREITUNG

1. Für die Rotweinsauce zunächst ca. 50 ml Wein mit der Stärke glatt verrühren und bereitstellen. Restlichen Wein mit allen anderen Saucenzutaten in einen Topf geben und aufkochen. Die angerührte Stärke einrühren, aufkochen und noch mindestens 2 Minuten weiterkochen. Rotweinsauce abseihen und kalt stellen.

2. Für die Topfenmasse den Zucker mit der weichen Butter schaumig rühren. Topfen untermengen und mit Vanillezucker, einer kleinen Prise Salz sowie etwas Zitronensaft und -schale aromatisieren.

3. Das entrindete Toastbrot mit dem Nudelwalker flach ausrollen, mit der Topfenmasse bestreichen und eine Reihe geviertelter Weintrauben darauflegen. Zu Röllchen einrollen. Braunen Zucker mit reichlich Zimt vermengen und bereitstellen. Die Milch mit dem Ei versprudeln und die Röllchen zuerst in dem Milch-Ei-Gemisch kurz wenden und danach in Zimtzucker rollen.

4. Gasgrill auf 180–200 °C vorheizen. Sweet Rolls auf den Rost legen und ca. 1–2 Minuten leicht bräunen. Mit der Rotweinsauce auftragen.

ZUTATEN

375 g sehr weiches Toastbrot ohne Rinde
250 g kernlose Trauben (oder Obst nach Saison)
150 ml Milch
1 Ei
100 g brauner Zucker
Zimt nach Geschmack

FÜR DIE TOPFENMASSE
50 g Zucker
50 g weiche Butter
250 g passierter Topfen
1 Pkg. Vanillezucker
1 Prise Salz
etwas Zitronensaft und -schale

FÜR DIE ROTWEINSAUCE
250 ml kräftiger Rotwein (in meinem Fall Zweigelt)
1 ½ TL Maisstärke
2—3 EL Zucker
3 EL Orangensirup
½ Zimtstange
3 Gewürznelken
Saft von 1 Zitrone

☞ **DER SPEZIELLE TIPP ZUM REZEPT**

Um Freude am Grillen zu haben, sollte alles bestmöglich vorbereitet sein. Daher sind die Sweet Rolls mein Favorit in puncto Nachspeise. Man kann alles nahezu fast fertig machen und zudem eignet sich das Dessert für alle Saisonen; im Sommer gibt's Erdbeeren, im Winter in Rum eingelegte Orangen.

**VERWENDETER GRILL
WEBER GASGRILL**

JULIA KISS

ICH GRILLE AM LIEBSTEN AUF ...

„Bis vor kurzem wäre die Wahl eindeutig auf meinen Holzkohlegrill gefallen. Seit meiner Übersiedlung in eine neue Wohnung mit Dachterrasse bin ich aber auf Gasgrill umgestiegen. Noch habe ich beim Gasgrill nicht alle Tricks gelernt, ich habe aber tolle Unterstützung in den Grillkursen bei Adi und Leo. Grillen bedeutet für mich Lebensstil und Lebensgefühl, also bereite ich im Sommer Fleisch zu 90 % auf dem Grill zu."

EXTREMSPORT UND CHILLEN BEIM GRILLEN

Wie macht sie das nur? Diese Frage drängt sich einem geradezu auf, wenn man mit der quirligen Grillmeisterin aus Laxenburg länger als eine Minute plaudert.

Ja, Julia Kiss ist berufstätig, arbeitet als Betriebswirtin in der Logistikbranche und ja, sie hat Hobbys, jede Menge. Rennradfahren etwa, Extreme Carving oder CrossFit, sie spielt aber auch Saxophon, wirkt in der Big Band der örtlichen Musikschule mit und plant für nächstes Jahr eine weitere Freizeitaktivität ein: Kite Surfen. Sie reist gerne an nette Orte dieser Welt und packt dort auch gleich alles, was gut schmecken könnte, für zu Hause in ihre 50-Liter-Kühlbox ein. Und sie ist eine Genießerin. „Ich liebe es gut zu essen und zu trinken – am liebsten selbst zubereitet, ich bekoche meine Freunde und Familie mit großem Vergnügen. Kochen beginnt ja schon beim Einkaufen, ich genieße die Besorgung von Lebensmitteln und als Kontrastprogramm zu meinem anstrengenden Job entspanne ich gerne beim Grillen."

LIEBE GEHT DURCH DEN MAGEN

Dass am Anfang dieser Vorliebe fürs Garen über offener Flamme ein peinliches Missgeschick bei einem Date stand, gesteht die sympathische Extremsportlerin ganz freimütig ein. „Ich wollte einen Mann mit meinen Kochkünsten beeindrucken. Meine Wahl fiel auf Fisch vom Holzkohlegrill. Kurz vor der Verabredung gab es allerdings unglücklicherweise einen Rohrbruch in meiner Wohnung und plötzlich standen der Klempner und das Objekt meiner Begierde gleichzeitig vor meiner Türe. Da ein Ersatzteil fehlte, gab es letztlich doch kein Wasser mehr an diesem Abend. Die Aufregung war also groß. Trotzdem beschlossen wir mit der Grillerei loszulegen. Ich legte eine schöne Dorade auf den Rost, war aber offenbar doch zu abgelenkt. Fazit: Der Fisch blieb kleben, ich konnte ihn nur in kleinen Fetzen vom Grill nehmen. Das war alles andere als sexy. An diesem Abend beschloss ich professionelle Hilfe in Anspruch zu nehmen. Im Sommer 2016 habe ich den Fisch-Trick bei Adi Bittermann in seiner „Carnuntum Grillschule" gelernt. Durch diesen Grillkurs haben sich für mich neue Welten aufgetan und ich habe immer mehr Energie und Zeit dafür investiert."

DIE DAMEN VOM GRILL

Mittlerweile ist Julia eine wahre Meisterin beim Fischgrillen, wenngleich ihre große Liebe den „fleischlichen Genüssen" gehört. „Ich liebe Fleisch und habe daher schon als junge Erwachsene leidenschaftlich gerne gegrillt, anfangs mit Wegwerf- und Faltgrill auf der Donauinsel. Als ich meine erste Wohnung im 4. Stock mit Balkon bekam, ging es so richtig los mit dem Grillen! Ich kaufte meinen ersten Kugelgrill, habe viele Bücher gelesen und mir alles selbst beigebracht. Ich hatte sehr tolerante Nachbarn, denn die haben mit mir viel durchgemacht." Von Belästigung dürfte auf der Dachterrasse von Julias nächster Wohnung wohl nun niemand mehr sprechen, im Gegenteil. Julias Grillkünste sind in ihrem Freundeskreis heiß begehrt. „Auch wenn ich als Gast zu einem Grillfest eingeladen bin, endet es immer so, dass ich hinter dem Grill stehe. Das ist schon interessant, denn leider gilt es immer noch als Kuriosum, wenn sich eine Frau am Grill zu schaffen macht." Eine Bemerkung, die im 21. Jahrhundert doch aufhorchen lässt. Da mögen grillende Ladys noch so viel Ahnung von Flank Steak oder Dry Aged Beef haben und den optimalen Garpunkt der am Holzscheit gegrillten Lachsforelle exakt treffen, die Grillwelt ist eine männliche. Noch, denn wir sind sicher, dass hinter Österreichs Gartenzäunen bereits viele, viele Julias werken – nur im Verborgenen und noch unentdeckt. Doch das wird sich ändern ...

KAS-BINKERL

ZUBEREITUNG

1   Grill auf 150 °C einregeln. Käse in 2–3 cm große Würfel schneiden, die Walnüsse mit der Hand in kleinere Stücke brechen. Käse, Walnüsse und Pfefferkörner jeweils in ein Stück Backpapier zu einem „Binkerl" binden, oben zusammendrehen und mit Küchengarn verschließen. Auf den vorgeheizten Grill setzen und indirekt so lange grillen, bis der Käse flüssig wird.

2   Inzwischen das Obst halbieren und mit der Schnittfläche nach unten zuerst direkt angrillen, danach indirekt weitergrillen, bis der Käse fertig ist.

3   Die kleinen Brotscheiben beidseitig leicht antoasten. Sobald der Käse flüssig ist, die Päckchen öffnen, den Käse mit einem Löffel so umrühren, dass die Nüsse und die Gewürze gleichmäßig verteilt werden. Käsemasse auf die getoasteten Brotscheiben auftragen und mit je einer Scheibe Obst garniert als Vorspeise warm servieren.

ZUTATEN

150—200 g halbfester Schnittkäse aus Ziegen- oder Schafmilch (in meinem Fall Waldviertler Goaßkas von „Die Käsemacher")
6—10 schwarze Pfefferkörner, nach Geschmack ganz oder geschrotet
einige Walnüsse
Birnen, Äpfel oder Feigen nach Belieben
2—3 kleine Scheiben Brot pro Person

☞ DER SPEZIELLE TIPP ZUM REZEPT

Manchmal habe ich auch Lust, diese pikanten Käse–Binkerl mit Korianderkörnern zu aromatisieren, das passt ebenfalls ganz hervorragend zu diesem Rezept!

**VERWENDETER GRILL
GASGRILL**

JULIA KISS — NIEDERÖSTERREICH

AUF DEM HOLZSCHEIT GEGRILLTE LACHSFORELLE MIT SALBEIBUTTER

VORBEREITUNG

1 Fisch gründlich abspülen und trockentupfen. Bauchhöhle mit Kräutersalz würzen, mit Kräutern füllen und die Forelle über Nacht im Kühlschrank ziehen lassen.

ZUBEREITUNG

2 Grill vorbereiten. Die Seite des Scheites/Brettes, auf der der Fisch liegen wird, zum Desinfizieren kurz über dem Feuer erhitzen. Fisch mit den Kräutern darauflegen. Glühende Holzkohle auf 2 Kohlekörbe aufteilen und zur Seite schieben. Forelle auf dem Scheit/Brett in den Grill geben, Räucherchips auf die Glut geben, Fisch bei ca. 150 °C indirekt grillen.

3 Nach ca. 15 Minuten Kerntemperaturfühler hinter dem Kopf einführen, den Fisch bis 52 °C Kerntemperatur grillen. Vom Grill nehmen, auf dem Scheit/Brett ca. 10 Minuten ruhen lassen (die Temperatur steigt dabei bis ca. 57–58 °C).

4 Währenddessen die Zwiebel feinwürfelig schneiden. Butter in einer Pfanne erhitzen, sobald sie leicht braun ist, Zwiebel glasig braten, zum Schluss Salbei dazugeben.

5 Wenn die Kerntemperatur zu sinken beginnt, Forelle filetieren: am Rücken vom Kopf ausgehend in Richtung Schwanzflosse entlangschneiden. Haut hinter den Kiemen Richtung Bauch einschneiden und Richtung Schwanzflosse abziehen. Die so freigelegten Filets mit einem Löffel oder Fischmesser von der Karkasse lösen. Haut mit Kräutersalz bestreuen und am Grill knusprig golden braten.

6 In kleinere Stücke brechen. Filets auf vorgewärmte Teller legen, mit etwas Kräutersalz würzen, mit Salbeibutter beträufeln, mit Hautchips garnieren und rasch servieren. Dazu passt gemischter Blattsalat.

ZUTATEN

1 küchenfertige Lachsforelle mit ca. 1,2—1,5 kg
Kräutersalz
frische Kräuter wie Thymian, Rosmarin, Salbei, (Wild–)Majoran
1 Holzscheit oder Zedernholzbrett (siehe Tipp)
gewässerte Räucherchips (Apfel– oder Kirschenchips)

FÜR DIE SALBEIBUTTER
½ rote Zwiebel
125 g Butter
Salbeiblätter

**VERWENDETER GRILL
HOLZKOHLEGRILL KAMADO**

BEINSCHEIBE VOM DRY AGED DUROC-SCHLÖGEL (OBELIX-STEAK)

ZUBEREITUNG

1 Beinscheibe mit Salz und Pfeffer würzen und auf einem heißen Grillrost ca. 4 Minuten pro Seite angrillen.

2 In der Zwischenzeit eine Gusseisenpfanne erhitzen, die Zwiebeln und den Knoblauch fein schneiden bzw. hacken und in Schmalz goldgelb anrösten. Die Grammeln zugeben und alles gut durchrösten. Mit Salz, Pfeffer und gehackter Petersilie abschmecken. In eine Schüssel geben und zur Seite stellen.

3 Die Gusseisenpfanne auf den heißen Grillrost stellen, eine Holzscheibe (siehe Tipp) hineinlegen und die angegrillte Beinscheibe auf das Holz legen. Grammel-Zwiebel-Mischung auf dem Fleisch verteilen, Deckel schließen und den Grill auf 200 °C einpendeln. Ca. 35 Minuten indirekt grillen.

ZUTATEN

1 Beinscheibe Dry–Aged–Schlögel vom Duroc–Schwein (Obelix–Steak) mit 2 kg
4 Zwiebeln
4 Knoblauchzehen
4 EL Schmalz
200 g Grammeln
Salz, Pfeffer
100 g gehackte Petersilie

**VERWENDETER GRILL
GUSSEISENPFANNE AUF HOLZ-
KOHLE- ODER GASGRILL**

☞ **DER SPEZIELLE TIPP ZUM REZEPT**

Ich verwende das Holzbrett, damit das Steak in der
Pfanne nicht weiter gebraten wird, es dient quasi
als Hitzeschild zwischen Grillpfanne und Fleisch,
gleichzeitig entstehen dabei feine Aromen, die man
auch im Fleisch schmeckt. Wenn Sie mit Kerntemperaturfühler arbeiten, dann ist eine Temperatur
von 62 °C das Ziel.

IN WERMUT MARINIERTER ROSTBRATEN MIT GRÜNEM SPARGEL

VORBEREITUNG

1   Für die Marinade das Olivenöl mit Limettensaft und -schale, braunem Zucker, Wermut und fein gehackter Chilischote vermengen. Rostbraten hineinlegen und mindestens 2 Stunden marinieren.

ZUBEREITUNG

2   Gasgrill auf 250 °C aufheizen. Beim grünen Spargel die holzigen Teile entfernen und nach Be-darf die Stiele unten leicht schälen. Rostbraten aus der Marinade heben, leicht abtupfen und mit grobem Salz würzen. Auf dem heißen Grillrost pro Zentimeter Fleischstärke 1 Minute auf jeder Seite grillen, in unserem Fall waren das 4 Minuten pro Seite.

3   Fleisch anschließend in die indirekte Zone legen und die Hitze auf 200 °C reduzieren. Die Rostbraten mit etwas von der verbliebenen Marinade bestreichen und frischen Pfeffer aus der Mühle darüber reiben. Vorbereiteten Spargel auf den Grillrost legen, Deckel schließen und das Fleisch ca. 10 Minuten rasten lassen. Währenddessen den Spargel einmal wenden.

4   Inzwischen die Zwiebeln in Ringe schneiden. Auf dem Seitenbrenner eine Pfanne erhitzen, die Zwiebelringe darin anschwitzen, mit etwas Marinade leicht untergießen und an die Seite stellen. Den fertig gegrillten Spargel in die Zwiebelmarinade einlegen, durchschwenken und mit dem fertigen Rostbraten anrichten.

ZUTATEN

2 Rostbratenschnitten à 400 g von der österreichischen Kalbin, mindestens 28 Tage wet aged (vakuumgereift), Fettklassifizierung 3—4
500 g grüner Spargel
grobes Salz, Pfeffer
2 rote Zwiebeln

FÜR DIE MARINADE
2 EL Olivenöl
Saft und Schale von 1 Limette
2 EL brauner Zucker
100 ml Wermut
1 kleine fein gehackte Chilischote

**VERWENDETER GRILL
GASGRILL MIT SEITENBRENNER**

IN DER GLUT GEGRILLTE BANANE MIT KARAMELLSAUCE, RÄUCHERSALZ UND VANILLEEIS

ZUBEREITUNG

1 Für die Karamellsauce den Zucker in einem Topf unter leichtem Rühren schmelzen, bis er hellbraun geworden ist. Achtung! Der Zucker ist jetzt sehr heiß und man sollte nicht zu heftig umrühren! Den Topf an die Seite schieben bzw. von der Hitze nehmen. Sobald der Zucker schön karamellbraun ist, den Orangensaft zugießen. Auch hier vorsichtig sein, denn beim Eingießen entsteht viel heißer Dampf und der Zucker verklumpt kurzfristig. Flüssiges Obers zugießen, abgeriebene Orangenschale einrühren und die Sauce bei nicht zu großer Hitze langsam köcheln lassen, bis sich der Zucker nach und nach aufgelöst hat. Sauce unter wiederholtem Rühren sämig einkochen lassen. Die Sauce ist fertig, wenn sie zählflüssig vom Kochlöffel abläuft. An die Seite stellen und kurz überkühlen lassen.

2 Einen halben Anzündkamin mit Holzkohle gut durchglühen. Von den Bananen etwaig vorhandene Klebeetiketten entfernen und den Kerntemperaturfühler an der unteren Spitze etwa 3-4 cm tief in eine Banane stecken. Sobald die Kohle glüht, in einen Dutch Oven füllen, die Bananen in die Glut legen und auf eine Kerntemperatur von 40 °C grillen. Bananen wenden, bis 56–58 °C weiter grillen und dann herausnehmen. (Die gesamte Garzeit beträgt ca. 10–12 Minuten.) Die Bananen sollten nun außen schön schwarz gebräunt sein. Je eine Banane auf einen Teller setzen, mit einem kleinen Messer an der Innenseite einschneiden und mit beiden Händen nach unten auf den Teller drücken, wodurch die weiche Bananenmasse leicht aus der Öffnung quillt. Etwas Räuchersalz darüberstreuen, die Karamellsauce zugießen und mit Vanilleeis und Minze garnieren.

ZUTATEN

4 Bananen
1 TL grobes geräuchertes Salz
4 Kugeln Vanilleeis
4 Minzblätter

FÜR DIE KARAMELLSAUCE
250 g Zucker
Saft und Schale von 2 Orangen
250 g Schlagobers

Die Bananen können auch auf der Feuerschale, dem Lagerfeuer, im Holzkohlegrill ohne Rost und auf jeder anderen Glut gegrillt werden. Man könnte das Gericht auch im Dutch Oven auf einem Gasgrill zubereiten.

**VERWENDETER GRILL
GLÜHENDE KOHLEN UND
DUTCH OVEN**

Ich bereite von der Karamell–
sauce gern mehr zu, fülle sie
in Einmachgläser und lagere
sie im Kühlschrank auch über
längere Zeit.

WIEN

„Wien ist anders!" Ich bin zutiefst davon überzeugt, dass das nicht nur ein werbewirksamer Wien-Tourismus-Slogan ist, sondern die ganz besonderen Lebensumstände in Österreichs Bundeshauptstadt auf den Punkt bringt. Wien ist eine Weltstadt mit 1,9 Millionen Einwohnern, kultureller und wirtschaftlicher Mittelpunkt Österreichs und kann trotzdem stolz auf seine Landwirtschaft sein. Dass rund um Wien herrlicher Gemischter Satz, Grüner Veltliner und andere g'schmackige Rebsorten wachsen, weiß man, dass Wiener Gärtner und landwirtschaftliche Betriebe in der Lage sind, einen großen Teil der Nachfrage an Obst und Gemüse selbst zu decken, ist nicht so bekannt. Auf Märkten wie Rochusmarkt, Meiselmarkt, Karmeliter- oder Kutschkermarkt ist alles zu haben, was das saisonale Angebot hergibt. Der Naschmarkt wird zwar in letzter Zeit verstärkt von gastronomischen Betrieben geprägt, doch mit frischem Fisch, Fleisch, Obst und Gemüse sowie einem wöchentlichen Bio-Bauernmarkt wird hier nach wie vor gutes Geschäft gemacht. Und mit Spezialitäten – wie etwa den begehrten Essigen von Erwin Gegenbauer. Sie reifen mitten im 10. Wiener Bezirk im Keller und auf dem Dach ihrer Bestimmung entgegen. Vom 16. Bezirk aus schickt Hans Staud seine hochgeschätzten Marmeladen hinaus in die Welt und die Familie Gugumuck hat es geschafft, die Wiener Schnecken wieder salonfähig zu machen. Wien ist aber auch eine der letzten Großstädte, in der man noch exzellente kleine Fleischhauereien findet. Stellvertretend seien die Namen Stierschneider und Hödl erwähnt, Adressen, die bei Wiener Grillmeistern bestens bekannt sind.

AUSFLUG INS SCHLARAFFENLAND

Als ich gemeinsam mit meiner Frau Bettina im 15. Bezirk unser „Vikerl's Lokal" führte, waren meine täglichen Einkäufe frühmorgens im Großgrünmarkt, in der Fleischhalle und beim Fischhändler „Eishken Estate" für mich eher Ausflüge ins Schlaraffenland als lästige Pflicht. Bereits damals war ich überzeugt, dass frische Produkte und beste Qualität die wichtigsten Stars in der Küche sind. Ein Leitsatz, der freilich auch für die vielen anderen Betriebe gilt, die Wiens Gastroszene so berühmt machen. Wien hat eine sensationelle Beisl- und Wirtshauskultur zu bieten, mit bodenständiger Rindfleisch- und Innereienküche, mit klassischer Hausmannskost und dem Parade-Aushängeschild – dem Wiener Schnitzel. Doch auch Luxusgenuss ist in der Donaustadt bestens vertreten, etwa durch das weit über die Landesgrenzen hinaus bekannte Restaurant „Steirereck". Seit Jahrzehnten versteht es hier Familie Reitbauer, die Wiener Küche mit internationalem Flair und absoluter Perfektion zu vereinen. Kurzum, Wien ist eine durch und durch kulinarische Stadt und ist somit auch beim Grillen ganz vorne mit dabei.

URBANES GRILLEN

Bei meinen Radtouren auf der Donauinsel ist mir oft und oft verführerischer Duft von Gegrilltem in die Nase gestiegen. Er kam von den Grillplätzen, die die Stadt zur Verfügung stellt. Auch aus den Schrebergärten, an denen ich vorbeiradelte, sah ich Rauch aufsteigen, der davon erzählte, dass dort Würstel und Steckerlbrot auf dem Rost lagen. Etwas gehobener geht es seit einigen Jahren im „Feuerdorf" am Donaukanal (und mittlerweile auch am Pop-up-Standort im Prater) zu, wo man in einer gemütlichen Hütte mit Freunden über offenem Feuer grillen kann. Dank ungefährlicher Elektro- und Gasgrillgeräte wird in Wien aber auch unermüdlich auf Balkonen und Dachterrassen gegrillt.

Urbanes Grillen ist in Wien also zum großen Thema geworden. Das spiegelt sich in den Veranstaltungen wider, für die Wien Schauplatz ist. Etwa für die „Vienna BBQ Days", bei denen man drei Tage lang Faszinierendes rund ums Grillen erleben und erschmecken kann. Die „Kansas City Barbeque Society" (KCBS) veranstaltet wiederum einen Contest, bei dem die besten Teams der internationalen Grillszene gegeneinander antreten. Ein spannender Wettbewerb, der nicht nur für die Sieger lohnend ist, sondern für alle, die sich ernsthaft fürs Grillen interessieren. Ob Profi oder leidenschaftlicher Hobbygriller, wichtig ist die Freude am Garen über offenem Feuer, und dafür bietet Wien glücklicherweise jede Menge Möglichkeiten.

MARKUS CZANBA

ICH GRILLE AM LIEBSTEN AUF ...

„Unter der Woche grille ich manchmal gerne spontan ein schnelles Abendessen, dafür ist mein Gasgrill optimal. Aber je nach Gelegenheit und Rezept darf es auch ruhig einmal Holzkohle sein."

GRILLEN ÜBER DEN DÄCHERN VON WIEN

Wien hat viele Vorteile, rangiert auch immer wieder an erster Stelle als lebenswerteste Stadt, nur ein passender Platz zum Grillen will erst einmal gefunden werden.

Doch den hatte der Onkel von Markus Czanba in seinem Schrebergarten. „Es war immer etwas ganz Besonderes, wenn ich als kleiner Bub meinen Onkel besuchen durfte und es bei ihm so wunderbar nach gegrillten Koteletts duftete." Eine Kindheitserinnerung, die erst dank der neuen Wohnung mit großer Terrasse über den Dächern von Wien endlich den Bogen ins Jetzt schlagen kann. Klar, dass der Vertriebsleiter und selbständige Immobilienmakler darauf geachtet hat, dass er in luftiger Höhe auch ausreichend Platz für größere Grillgesellschaften hat. „Grillen vermittelt eine direkte Verbundenheit mit dem Kochgut und hat den großen Vorteil, dass in größeren Runden jeder Gast das bekommt, worauf er Lust hat. Ich schätze das gemeinsame Erlebnis mit Freunden. Während des Grillens wird schon mit einem Glas Wein angestoßen und so ergibt sich eine Leichtigkeit, die ich sehr liebe."

GRILLEN MIT VERANTWORTUNG

Leichtigkeit liebt der Vater von drei Kindern auch, wenn es um die Rezepte für seine Grillereien geht. „Ich stehe allem Neuen sehr aufgeschlossen gegenüber, probiere auch gerne neue Cuts oder Dry Aged Beef, aber ich bin nicht der Typ, der sechs Stunden am Grill steht und die verschiedenen Garstufen wissenschaftlich analysiert. Das Produkt muss stimmen - ich kaufe vieles am Naschmarkt, frisches Gemüse kommt durch den Bio-Lieferdienst. Dabei habe ich festgestellt, dass ich in den letzten Jahren ein höheres Qualitätsbewusstsein entwickelt habe. Ich verwende vorzugsweise Bioprodukte, bei Fleisch haben wir die Mengen reduziert, die Qualität dafür gesteigert", definiert Markus seinen nachhaltigen und verantwortungsbewussten Zugang zum Thema Grillen.

KOCHBÜCHER ZUM SCHMÖKERN

Wo der Liebhaber italienischer Lebenskultur seine Inspirationen fürs abwechslungsreiche Grillen hernimmt? „Ich kaufe gerne Kochbücher und schmökere darin, aber die tatsächlichen Rezeptideen bekomme ich meist aus einschlägigen Online-Medien." Dass sich die Suche nach neuen Gerichten nicht nur auf die Zubereitung von Fleisch beschränkt, ist für Markus Czanba selbstverständlich. Im Schnitt wird von März bis November drei bis fünf Mal pro Monat gegrillt, da ist Abwechslung willkommen. „Manchmal gibt's bei uns rein vegetarische Grilltage, da kommen Fenchel, Süßkartoffeln, Paprika, Tomaten oder Spargel zum Einsatz, an heißen Sommertagen lieben wir leichte Fischgerichte, aber auch süße Desserts wie gegrillte Ananas oder Bananen stehen auf dem Grillplan." Ein variationsreiches Konzept, mit dem es sich locker durchs Grilljahr kommen lässt.

SAIBLINGSFILET MIT GEGRILLTEN SÜSSKARTOFFELN

ZUBEREITUNG

1 Für die Sauce Joghurt mit Meersalz, Garam Masala, Paprikapulver und dem Limettensaft abschmecken. Etwas Limettenschale über die Sauce raspeln und die Sauce kaltstellen.

2 Süßkartoffeln schälen und in dünne Scheiben schneiden. Frühlingszwiebeln unterhalb des grünen Teils abschneiden und die Zwiebeln halbieren. Fenchel in Scheiben schneiden. Nun das Gemüse mit etwas Öl und Currypulver gut vermengen.

3 Grill auf etwa 150 °C aufheizen. Süßkartoffel- und Fenchelscheiben sowie Frühlingszwiebeln auf der heißen Plancha (Grillplatte) gar grillen. Inzwischen die Saiblingsfilets mit Salz und (weißem) Pfeffer würzen und jedes Filet auf der Seite ohne Haut mit je 2 Zitronenscheiben belegen. Fischfilets mit der Hautseite nach unten auf den Grill legen und glasig (nicht ganz gar) grillen.

4 Auf den Tellern zuerst das Gemüse anrichten, Saiblingsfilets darauflegen und mit der Limetten-Joghurt-Sauce beträufeln.

ZUTATEN

2 Süßkartoffeln
1 Bund Frühlingszwiebeln
2 Fenchelknollen
1 EL Rapsöl
1 EL Currypulver
4 Saiblingsfilets à 120 g
Salz, (weißer) Pfeffer
8 Zitronenscheiben

FÜR DIE LIMETTEN-JOGHURT-SAUCE
125 ml Joghurt
Meersalz
1 TL Garam-Masala-Gewürzmischung
1 Prise Paprikapulver
Saft und Schale von 1 Limette

**VERWENDETER GRILL
WEBER GENESIS II E – 410**

DANIEL GAJKO

ICH GRILLE AM LIEBSTEN AUF …

„Bis auf einfache Schnellgrillereien benötige ich meistens schon zwei oder sogar drei Grillgeräte. Vor allem wenn ich den Smoker starte, brauche ich auf jeden Fall einen zweiten Grill für die Beilagen. Mein absoluter Lieblingsgrill ist jedoch der Weber Kugelgrill. Ob er direkt oder indirekt genutzt wird, kommt natürlich immer auf das Grillgut an. Meist ist aber ohnehin beides nötig …!"

HOPPALA

„Um meinen Pizzastein einzuweihen, habe ich Freunde eingeladen und und schon zwei Tage zuvor einen echt italienischen Teig angesetzt, der wunderschön aufgegangen ist. Die Zubereitung verlief allerdings nicht wie gedacht, der Teig war einfach zu klebrig. Die erste Pizza schmeckte gut, doch danach klappte es weder mit der Temperatur noch mit der Glut. Die Pizzen wurden einfach nicht richtig durch und schließlich mussten wir pro Pizza eine gute Viertelstunde warten — bei unserer großen Grillrunde ganz schön lange!"

FLORIANIJÜNGER UND HOBBYGRILLER

Wer seine Jugend in Kaiserebersdorf und lange, heiße Sommertage am Badeteich verbracht hat, der hat naturgemäß einen starken Bezug zum Grillen.

So auch Daniel Gajko, der als kleiner Bub gerne seinen Vater beim Brutzeln von Würsteln und Koteletts auf dem selbstgebauten Grill beobachtete. Mittlerweile lässt der bei der Berufsfeuerwehr tätige Hobbygriller selbst die Kohlen glühen. Mit aller gebotenen Vorsicht, versteht sich, weiß er doch aus seinem Brotjob, wie schnell ein unbeobachtetes Grillfeuer im wahrsten Sinn des Wortes brandgefährlich werden kann – aber soweit lässt er es ohnehin nicht kommen. „Ich schätze die Ruhe am Grill, da gibt es für den Moment nur den Griller, das Fleisch und den gut riechenden Rauch. Schön ist natürlich auch das Zusammensitzen am Feuer mit meiner Frau Clarissa, meiner Familie und meinen Freunden. Käsekrainer und Grillkäse sind ein Muss bei jeder Grillerei, vor allem für die Kinder, aber am liebsten lege ich doch saftige Steaks auf oder smoke ein schönes Stück Rindfleisch. Auch Dry Aged Beef liebe ich!" Gekauft werden die edlen Fleischstücke meist beim Metzger seines Vertrauens oder gleich bei Adi Bittermann, von dem er schon so manchen Trick gelernt hat.

QUALITÄT KOSTET

Ideen und Inspirationen holt sich der qualitätsbewusste Grillmeister, der gerne bereit ist, auch etwas mehr für hochwertiges Fleisch zu bezahlen, aber vor allem aus seinen zahlreichen Kochbüchern – und aus Fachmagazinen. „Ich blättere sogar beim Arzt in Zeitschriften und suche nach Rezepten. Im Zeitalter des Internets bin ich auch auf einigen Seiten registriert und bekomme immer wieder Newsletter mit interessanten Tipps und Anregungen", beschreibt der grillsüchtige Kochbuchliebhaber seine Leidenschaft. Dabei endet seine Neugier keineswegs bei Fleisch- und Gemüsegerichten. „Wir lieben auch Nachspeisen und Süßes von der Grillstation. Da kommt es schon vor, dass während meines Urlaubs im Sommer der Grill manchmal gar nicht auskühlt. Da gibt's früh, mittags und abends Gegrilltes."

WEIHNACHTSLANGOS VOM GRILL

Dass Grillen heutzutage weit mehr ist als rohes Fleisch auf einem Rost zu garen, stellt Daniel Gajko Jahr für Jahr rund um Weihnachten unter Beweis. Wenn die Tage kürzer werden, steht er dafür umso länger am Grill und zelebriert seinen zur Tradition gewordenen Adventzauber. Aus nicht weniger als 20 Kilogramm Teig bereitet er wunderbar knusprige Langos zu, die von erwartungsfrohen Freunden und Nachbarn im Nu verspeist sind. Dazu dampfender Punsch – so lässt sich die kalte Jahreszeit aushalten! Auch Wiener Schnitzel haben bei ihm nichts in der Küche verloren, sondern erhalten outdoor am Grill den letzten Schliff für ihre soufflierende Panier. Eine Bandbreite, die Daniel in diesem Buch mit flaumigen Fleischbuchteln untermauert. Die Idee dafür kam ihm, als er sich überlegte, wie man die Restwärme am Ende einer Grillerei nützen könnte. Anfangs waren es noch konventionell süße Buchteln mit selbstgemachter Vanillesauce, die das grillende Kreativitätsbündel dann kurzerhand zu pikanten Buchteln umwandelte. Wir empfehlen: Schauen Sie sich das an (s. folgende Seiten)!

☞ DER SPEZIELLE TIPP ZUM REZEPT

Bei mir steht dieses Rezept meist dann
auf dem Programm, wenn mir von anderen Gerichten Wurst– oder Fleischreste
übriggeblieben sind, aber auch die Reste
einer Fülle für Frühlingsrollen eignen sich
dafür bestens. In diesem Fall passt eine
selbstgemachte pikante Zwiebel–Rahm–
Sauce sehr gut dazu.

DANIEL GAJKO — WIEN

GEFÜLLTE FLEISCH-BUCHTELN VOM GRILL

ZUBEREITUNG

1 Für den Teig das Mehl mit den restlichen Zutaten gut vermengen und zu einem glatten Teig verarbeiten. Zugedeckt mindestens 30 Minuten rasten lassen. Je länger der Teig ziehen kann, umso luftiger werden danach die Buchteln.

2 Für die Fülle die Knoblauchzehen fein hacken, die Zwiebeln in feine Würfel schneiden und alles in etwas Rapsöl leicht goldbraun rösten. Inzwischen die Bratenreste in kleine Würfel schneiden, zugeben und ebenfalls kurz mitrösten bzw. Faschiertes gar rösten. Nach Belieben und verwendeten Bratenresten mit Salz, Pfeffer und Gewürzen nach Wahl abschmecken. Das gekochte Sauerkraut einige Male durchschneiden und untermengen, dabei nach Wunsch einen Schuss BBQ-Sauce zugeben. Füllmasse zur Seite stellen und kurz überkühlen lassen.

3 Sobald der Teig schön aufgegangen ist, gleich große Kugeln formen und diese flachdrücken. Jeweils etwas Fülle mittig daraufsetzen und schöne Buchteln formen. Eine passende Auflaufform (oder Dutch Oven) mit Butter ausstreichen und die Buchteln hineinsetzen. Den Grill für indirektes Grillen vorbereiten. Die Buchteln bei 160 °C indirekt ca. 20 Minuten garen. Währenddessen den Dutch Oven bzw. die Form immer wieder drehen, damit sich die Hitze gut verteilt und alle Buchteln gleichmäßig schön goldgelb gebacken werden. Dazu serviere ich gerne eine Joghurt-Schnittlauch-Sauce.

ZUTATEN

FÜR DEN TEIG
700 g Mehl
25 g Zucker
200 g flüssige Butter
300 ml lauwarme Milch
1 Pkg. Trockenhefe
(oder ⅔ Würfel)
2 Eier

FÜR DIE FÜLLE
2 Knoblauchzehen
2 Zwiebeln
2 EL Rapsöl
200 g Braten- bzw. Wurstreste (oder frisches Faschiertes)
Salz, Pfeffer
100 g gekochtes Sauerkraut
Butter zum Ausstreichen

ZUM ABSCHMECKEN NACH BELIEBEN
BBQ-Sauce, Majoran, Oregano, Thymian, Chiliflocken, Knoblauch-, Zwiebel- oder Paprikapulver, Petersilie

**VERWENDETER GRILL
WEBER KUGELGRILL 57 CM**

FLORIAN WAMMEL

ICH GRILLE AM LIEBSTEN AUF ...

„Bis vor kurzem hatte ich noch vier Grill-geräte auf meiner Terrasse stehen, zwei Holzkohle- und einen Gasgrill sowie einen Wassersmoker. Die habe ich alle gegen einen neuen Pellet-Smoker mit Grill-funktion eingetauscht. Auf dem kann ich neben ‚Longjobs' wie etwa Pulled Pork auch andere Grillereien, von kaltgeräuchertem Saiblingsfilet bis hin zum Rib-Eye-Steak, bewältigen."

HOPPALA

„Einmal legte ich ein wunderschönes Stück Du-roc-Karree mit echt dicker Fettschicht auf den Grill — die Folge: ein ordentlicher Fettbrand. Ich lief in die Wohnung, um den Feuerlöscher zu holen, da fragten mich die Gäste: ‚Können wir dir etwas hel-fen?' Ich schrie: ‚Ja, ja! Der Grill brennt!' An diesem Abend gab's sehr guten Erdäpfelsalat — allerdings als Hauptspeise."

QUALITÄTSFANATIKER UND PERFEKTIONIST

Wie man richtig grillt, davon hatte Florian Wammel, als er im Jahr 2014 von zu Hause auszog, keine Ahnung. Er wusste nur, dass Papa das immer komplett anders gemacht hat als die Leute in den BBQ-Sendungen im Fernsehen.

Doch dem gebürtigen Wiener gefiel, wie vor laufender Kamera auf zischendem Grillrost mit eindrucksvollen Fleischstücken herumjongliert wurde. Also stand bereits nach einer Woche sein erstes eigenes (Gas-)Grillgerät im neuen Zuhause. Fehlte nur noch das nötige Know-how. Eine kurze Recherche im Internet führte ihn schnurstracks zu den Grillkursen von Weltmeister Adi Bittermann. Ein stolzes Dutzend davon hat sich Flo, wie er von seinen Freunden genannt wird, vergönnt. Heute ist er selbst ausgebildeter Grilltrainer mit zahlreichen Diplomen und zeigt anderen, wo's rund um Feuer und Flamme langgeht.

GRILLEN IST MEIN YOGA

Gegrillt wird zu Hause auf der Terrasse, im Frühjahr, im Sommer, im Herbst und im Winter. „Winter-Grillpause? Das ist ein Fremdwort für mich! Wer jemals dampfenden Glühwein zur gegrillten Ente geschlürft hat, wird mir recht geben", lässt Florian Wammel keinen Zweifel daran, dass er aufs Grillen auch in der kalten Jahreszeit nicht verzichten möchte. Immerhin ist Grillen für ihn so entspannend wie Yoga und daher quasi lebensnotwendig. „Mir gefällt beim Grillen, dass vor dem Grill alle Menschen gleich sind, da gibt es keine Unterschiede zwischen Generaldirektor und Packelschupfer, jeder ist per du, jeder ist gut drauf, weil ja nur Menschen zusammenkommen, die das auch wirklich wollen. Wenn dann am Ende alles so geworden ist, wie ich es mir vorgestellt habe, und die Bäuche voll sind, gibt es für mich wenig Schöneres."

GEZIELT EINKAUFEN

„„Zu Beginn meiner Grillerei hab ich oft fertig mariniertes Fleisch gekauft", gesteht der flotte Flo mit dem schicken Strohhut freimütig ein. Im Laufe seiner fortschreitenden Grillausbildung hat er aber bald erkannt, wie wichtig gute Grundprodukte mit hohem Qualitätsstandard sind. „Passt die Qualität nicht, wird's nicht gekauft", lautet sein Motto daher schon seit längerem. „Ich versuche die Produkte möglichst regional zu beziehen. Über die Jahre hat sich in und rund um Wien eine Vielzahl von Betrieben etabliert, die eine wahnsinnig tolle Qualität liefern - egal ob Fleisch, Gemüse oder Erdäpfel. Am liebsten kaufe ich direkt beim Erzeuger, wenn mir die Zeit dafür fehlt, am Großgrünmarkt in Wien-Inzersdorf. Mein Dackel Carlo darf mich dabei oft begleiten."

FLORIAN WAMMEL — WIEN

DUROC-KARREE MIT ASIA-GEMÜSE

VORBEREITUNG

1 Am Vortag das Karree an der Fetteindeckung ca. ½ cm tief kreuzweise einschneiden. Mit Meersalz, Szechuanpfeffer und fein gehacktem Rosmarin kräftig einreiben. Die Orangenschale über das Fleisch reiben, das Karree in Frischhaltefolie oder einen Vakuumierbeutel einschlagen und 24 Stunden marinieren lassen.

ZUBEREITUNG

2 Am nächsten Tag den Holzkohlegrill für indirektes Grillen bei ca. 140 °C Hitze vorbereiten. Karree aus der Folie nehmen und in die Mitte auf den Rost legen, dabei die Kohlenkörbe nach links und rechts schieben. Den Akazienhonig leicht erwärmen und über das Fleisch träufeln.

3 Apfelholzchips auf die Kohlen legen. Den Deckel schließen, Lüfter auf ein Drittel der Öffnung stellen und die Zuluft unten auf das erste Loch setzen. Das Duroc-Karree etwa 45 Minuten smoken.

4 Inzwischen das Gemüse vorbereiten. Dafür den Lauch und die Zwiebeln halbieren und ebenso wie die Karotten und Rüben in Julienne (Streifen) schneiden.

5 Das fertig gegarte Karree vom Grill nehmen und warmstellen. Die Kohlenkörbe wieder in die Mitte stellen, einen Wok aufstellen und einige Minuten erhitzen. Rote und weiße Zwiebelstreifen zugeben, kurz durchrösten, Sesamöl zugießen und kurz weiterrösten. Juliennegemüse sowie Sojasprossen hinzufügen, den Deckel schließen und das Gemüse etwa 2–3 Minuten rösten. Mit Sojasauce, Limettensaft, frisch geriebenem Ingwer und Chili abschmecken. Kurz durchmischen und bei Bedarf salzen.

6 Karree in fingerdicke Scheiben schneiden und auf dem Wokgemüse anrichten.

ZUTATEN

1 kg Karree
vom Duroc–Schwein
grobes Meersalz
1 EL im Mörser zerstoßener
Szechuanpfeffer
1 EL fein gehackter Rosmarin
Schale von 1 Orange
4 EL Akazienhonig
2 EL eingeweichte
Apfelholzchips

FÜR DAS ASIA-GEMÜSE
200 g Lauch
je 2 rote und weiße Zwiebeln
200 g Karotten
200 g gelbe Rüben
50 ml Sesamöl
200 g Sojasprossen
100 ml Sojasauce
Saft von 1 Limette
etwas frischer Ingwer und
frischer Chili
Salz

**VERWENDETER GRILL
WEBER SUMMIT CHARCOAL**

Dieses Rezept ermuntert dazu, mit Gewürzen zu experimentieren und auch
Ungewohntes zu kombinieren. Die
scharfe Note verdanken wir dem Szechuanpfeffer, die süße dem Akazienhonig
— für mich eine ideale Kombi!

IM GANZEN GEGRILLTER REHRÜCKEN MIT RINDERMARK, CROÛTONS UND OLIVEN

ZUBEREITUNG

1 Rehrücken mit einem scharfen Messer links und rechts des Knochens entlang leicht einschneiden. Die Silberhaut entfernen. Das Fleisch mit grobem Meersalz und Pfeffer würzen.

2 Den Grill auf 160 °C einregeln. Rehrücken auf den vorgeheizten Grill geben, dabei an der dicksten Stelle des Rehrückens einen Kerntemperaturfühler einführen. Die halbierten Markknochen dazugeben, den Deckel schließen und den Rehrücken indirekt auf eine Kerntemperatur von 50 °C grillen.

3 Währenddessen das Toastbrot würfelig schneiden und in einer Pfanne trocken (ohne Fett) rösten. Sobald die Croûtons knusprig geworden sind, herausnehmen und zur Seite stellen. Butter in der heißen Pfanne erhitzen und die gehackten Schalotten darin kurz anschwitzen. Kapern und Oliven untermengen, durchrösten und mit Zitronenschale, gehacktem Thymian, Salz und Pfeffer abschmecken. Croûtons unter die Masse ziehen und zur Seite stellen.

4 Hat der Rehrücken 50 °C Kerntemperatur erreicht, den Grill öffnen, die Croûtonmasse in die eingeschnittene Öffnung des Rehrückens füllen und gut hineindrücken. Das Mark aus den Knochen lösen, in 8 Teile schneiden und auf die Croûtonmasse setzen. Rehrücken auf eine Kerntemperatur von 56–58 °C fertig grillen. Die Garzeit des Rehrückens beträgt insgesamt ca. 35 Minuten. Fertigen Rehrücken auf eine Platte setzen, im Ganzen auftragen und erst bei Tisch tranchieren. Dazu serviere ich rahmigen Kohl, Rotkraut oder geschmortes Gemüse.

ZUTATEN

1 ganzer Rehrücken à ca. 1,8—2 kg
grobes Meersalz, Pfeffer
4 Markknochen, der Länge nach durchgeschnitten
2 Toastbrotscheiben
100 g Butter
100 g fein gehackte Schalotten
1 EL Kapern
1 EL schwarze, entkernte Oliven
Schale von 1 Zitrone
etwas gezupfter Thymian

**VERWENDETER GRILL
ELEKTROGRILL**

KNUSPRIGE SCHWEINSSTELZE MIT SENF UND KREN

ZUBEREITUNG

1 Schweinsstelzen gut trocken tupfen, damit sie nach dem Braten auch wirklich knusprig werden. Die Schwarte (am besten mit einem Stanleymesser) 3-4 mm tief mehrmals längs und einmal quer einschneiden. Mit Salz sehr gut einreiben und etwa 1 Stunde rasten lassen, um die Feuchtigkeit zu entfernen.

2 Für eine intensivere Würzung je nach Geschmack etwas gepressten Knoblauch mit Salz und Pfeffer vermengen. Beim Knochen das Fleisch leicht lösen und die Knoblauchmasse mit einem Kochlöffelstiel hineindrücken.

3 Stelzen nochmals gut trocken tupfen und im vorgeheizten Grill bei 140-150 °C indirekt etwa 2 Stunden grillen. Sobald man den kleinen Knochen der Stelze leicht zwischen den Fingern drehen kann, die Hitze auf 200-220 °C steigern und die Stelzen grillen, bis die Schwarte knusprig aufplatzt (die gesamte Garzeit beträgt ca. 3 Stunden).

4 Stelzen mit Senf und frisch geriebenem Kren garniert im Ganzen auftragen. Als Beilage dazu serviere ich gerne Krautsalat, Bierradi – und natürlich reichlich Bier!

ZUTATEN

2 hintere Schweinsstelzen
à 1,5—1,8 kg
feines Stein– oder Meersalz
Knoblauch und Pfeffer nach Geschmack
Senf und frisch geriebener Kren als Garnitur

☞ DER SPEZIELLE TIPP ZUM REZEPT

Man liest und hört oft, dass Stelzen beim Braten mit Bier oder Suppe übergossen werden. Das ist ein Fehler, denn dann kann die Schwarte nicht richtig knusprig werden. Eine Stelze muss vor dem Braten gut trockengetupft und auch während des Bratens trocken gehalten werden, sie hat genug Fett, das sich nur ausgrillen muss. Sie werden sehen, dass die Stelze nach diesem Rezept einfach Weltklasse ist und das Fleisch vom Knochen fällt.

**VERWENDETER GRILL
WEBER SUMMIT CHARCOAL GRILL**

APFELSTRUDEL VOM GLASIERTEN PIZZASTEIN

ZUBEREITUNG

1 Äpfel mit Zitronensaft marinieren, durchmischen und 20 Minuten ziehen lassen. Strudelteig auf einem großen Tuch auflegen und großzügig mit warmer flüssiger Butter einstreichen. Die Butterbrösel darüberstreuen. Äpfel mit den Händen leicht ausdrücken, damit der überschüssige Saft austreten kann, und auf dem Teig verteilen. Zimtzucker und eingeweichte Rosinen über die Äpfel streuen, den Strudel einmal einschlagen und mit den Händen sanft nachformen. Wieder mit Butter bestreichen und den Strudel fertig einrollen.

2 Einen glasierten Pizzastein mit Butter bestreichen, Strudel daraufsetzen und je nach Form des Steines bei Bedarf passend formen. Nochmals mit Butter bepinseln und mit der Platte in den vorgeheizten Grill setzen. Deckel schließen und den Strudel je nach Stärke bei 200 °C etwa 20–25 Minuten grillen. Strudel mit der heißen Platte herunternehmen, auf einen Untersetzer stellen und mit Staubzucker bestreuen. Dazu serviere ich gerne Vanillesauce.

ZUTATEN

500 g säuerliche Äpfel, entkernt, geschält und blättrig geschnitten
Saft von 1 Zitrone
1 Pkg. Strudelteig (in meinem Fall Tante–Fanny–Strudelteig)
100 ml flüssige Butter
100 g geröstete Butterbrösel
2 EL Zimtzucker
2 EL in Rum eingeweichte Rosinen
Staubzucker zum Bestreuen

☞ **DER SPEZIELLE TIPP ZUM REZEPT**

Damit die Hitzeverteilung während des Grillens optimal ist und der Strudel unten nicht schwarz wird, platziere ich zwischen heißen Rost und Pizzastein einen Ziegelstein.

VERWENDETER GRILL GASGRILL, DER PIZZASTEIN HAT DEN VORTEIL, DASS DER TEIG NICHT HAFTEN BLEIBT

GEFÜLLTE MINIPAPRIKA MIT CHEDDAR UND SPECK

ZUBEREITUNG

1 Den Grill auf 180 °C einregeln. Von den Paprikaschoten die Kappen ausschneiden, die Schoten mit einem kleinen Löffel auskratzen und Kerne sowie die weißen Stege entfernen.

2 Die Paprikaschoten leicht salzen und pfeffern und die Käsestücke in das Innere schieben. Jeweils 3–4 Scheiben Speck so auflegen, dass sie sich überlappen und die gefüllten Paprikaschoten gut mit Speck umwickeln. Die Deckel wieder aufsetzen.

3 Paprikaschoten im vorgeheizten Grill indirekt bei 180 °C ca. 25 Minuten grillen, währenddessen ein- bis zweimal wenden. Herausnehmen und genießen.

ZUTATEN

8 kleine sonnengereifte Paprikaschoten in verschiedenen Farben
Salz, Pfeffer
8 daumengroße Stücke Cheddar oder anderer Käse
ca. 32 dünne Scheiben Speck (Bauchspeck)

**VERWENDETER GRILL
GAS- ODER HOLZKOHLEGRILL**

BURGENLAND

Ich bin kein Burgenländer, mein „Genusswirtshaus bittermann" befindet sich in Göttlesbrunn und somit auf niederösterreichischem Boden. Allerdings ist die burgenländische Grenze nur einen Steinwurf weit entfernt, weshalb ich zum jüngsten Bundesland Österreichs eine recht enge Beziehung hege – beruflich und privat. Beruflich verbinden mich mit dem Burgenland die unterschiedlichsten Produzenten, die mir für mein Restaurant wunderbare Lebensmittel liefern und von denen später die Rede sein wird. Privat liebe ich die Gegend zwischen Seewinkel und Leithaberg nicht nur deshalb, weil ich dorthin mit meiner Familie immer wieder herrliche Ausflüge unternehme, sondern weil auch viele meiner Freunde g'standene Burgenländer sind. Einige davon teilen meine Begeisterung fürs Grillen, besuchen regelmäßig meine Kurse und tragen so zur Verbreitung der Freude am Grillen bei. Ja, man könnte sogar sagen, sie haben diesbezüglich innerhalb der letzten Jahre geradezu einen Flächenbrand ausgelöst. Für mich ist es wirklich erstaunlich, wie viele Leute im Burgenland Spaß am Grillen haben.

PANNONISCHES KLIMA

Mag sein, dass meine Grillschule an diesem Trend nicht unbeteiligt ist, aber es dürfte wohl auch an den herausragenden Grundprodukten liegen, die das Burgenland in Hülle und Fülle bereithält. Verantwortlich dafür ist unter anderem das pannonische Klima mit heißem Sommer und meist mäßig kaltem Winter. Die mehr als 300 Sonnentage im Jahr begünstigen den Anbau von Wein, Obst und Gemüse – darunter sonnengereifte burgenländische Paradeiser, Paprika, Chili, Artischocken, Safran und seit ein paar Jahren sogar Bio-Reis aus dem Seewinkel. Die Dichte an weit über die Landesgrenzen hinaus berühmten Winzern ist im Verhältnis zur Anbaufläche außerordentlich. So besuchte ich bei einer meiner letzten Spritzfahrten in die Gegend rund um Illmitz Helmut

Lang. Er gehört für mich, neben dem Weingut Kracher, zu den besten Süßwein-Winzern im Burgenland und ist zudem auch noch leidenschaftlicher Fischer. Keine Frage, dass ich mich bei ihm nicht nur mit Wein, sondern auch gleich mit zwei Wallern und einem Zander eingedeckt habe. Die Fische habe ich zu Hause mit meiner Familie gemütlich am Grill zubereitet – die Qualität war schlichter Wahnsinn! Waller und Zander zählen übrigens zu den rund 30 verschiedenen Speisefischen, die neben Hecht, Wildkarpfen, Laube, Güster, Kaulbarsch, Brachse, Stichling und vielen anderen im Neusiedler See vorkommen und von örtlichen Fischern gefangen werden.

GRAURIND UND MANGALITZA-SCHWEIN

Für uns Griller ist aber natürlich vor allem das burgenländische Fleisch interessant und da wartet der Nationalpark Neusiedler See - Seewinkel mit etwas ganz Besonderem auf. Über 500 Exemplare des selten gewordenen Grauen Steppenrinds stehen hier auf den Weiden. Das Graurind gilt als Star unter den Rinderrassen, ist extrem robust und sowohl gegen starke Kälte als auch gegen außerordentliche Hitze unempfindlich. Die renommierte Fleischerei Karlo in Pamhagen schlachtet und verarbeitet als einziger Betrieb dieses äußerst g'schmackige Bio-Fleisch, das übrigens auch in den Verband der Genuss Region Österreich aufgenommen wurde. Martin Karlo, von vielen „Graurind-Flüsterer" genannt, hat zudem noch ausgezeichnetes Fleisch vom Wasserbüffel und Mangalitza-Schwein im Sortiment. Ebenfalls typisch für das Burgenland sind die Herden von Enten, Gänsen, Puten und Schafen – auch sie bester Rohstoff für vergnügliche Grillabende. Mir gefällt am Burgenland aber auch, dass Land und Leute abseits aller Kulinarik so viel anzubieten haben. Etwa den eindrucksvollen Römersteinbruch in St. Margarethen mit den sommerlichen Festspielen, die prächtige Kirschblüte am Leithaberg oder die vielen Burgen, denen das Bundesland schließlich seinen Namen verdankt. Allein Schloss Esterházy, das Wahrzeichen von Eisenstadt, mit seiner ausladenden Parkanlage und dem hochwertigen Kulturprogramm wäre es wert, extra ins östlichste Bundesland Österreichs anzureisen. Aber da gibt's ja auch den Badespaß im See, den feinen Wein, die zahlreichen Hochzeitsbäckereien und die sündhaft guten Somloer Nockerln - wie fein, dass bei mir das Gute wirklich so nahe liegt.

CHRISTA PLESSNER & PETER BAUER

ICH GRILLE AM LIEBSTEN AUF ...

„Wenn es schnell gehen muss, etwa für
einen saftigen Burger zum Mittagessen,
dann bevorzuge ich unseren Gasgrill,
den Holzkohlegrill hingegen für größere
Grillrunden. Knisterndes Lagerfeuer war
eigentlich der Beginn meiner Grillleidenschaft", listet Christa ihre Favoriten auf,
während sich Ehemann Peter gar nicht
festlegen möchte. „Das hängt vom Grillgut
ab, aber auch von der verfügbaren Zeit
und unserer Stimmung."

HOPPALA

„Mein Mann wollte seinen neuen Elektrogrill
unseren Freunden vorführen, doch es war
Winter und so richtig kalt draußen. Keiner
wollte ihm auf der Terrasse beim Grillen zusehen. Also brachte er den Grill kurzerhand
in die Küche und wollte hier sein Können
unter Beweis stellen. Die Rauchentwicklung
war allerdings rasch weitaus größer als
gedacht, wir stürmten umnebelt ins Freie
— und endeten doch in der Kälte draußen,
leicht geräuchert."

ZWEI ÜBERFLIEGER AM GRILL

Sie sind ohnehin ein recht buntes Häuflein, die Damen und Herren, die Österreichs Zunft der Hobbygriller ausmachen, doch Christa Plessner und Ehemann Peter Bauer machen diese Szene eindeutig noch ein wenig bunter.

Da wäre zum einen ihr nicht alltäglicher Beruf: Beide verdienen sich ihren Lebensunterhalt, indem sie schwere Jumbos durch die Lüfte fliegen. Und da wäre zum anderen noch die doch etwas außergewöhnliche Vorliebe für „exotische Autos", die sie als Mitglieder eines einschlägigen Autoclubs voll ausleben dürfen. „Durch den Club haben wir Zugang zu verschiedensten Autos, also zu Oldtimern, aber auch zu neuen, schnellen PS-starken Wagen oder ausgefallenen Exemplaren wie 3-Wheelern. Das Motto des Clubs ist ‚Drive your Heroes' – und das gefällt uns", gibt Christa Einblick in ihre Freizeitgestaltung, die sonst eher als Männerdomäne gilt. Dass beide auch gerne auf die Jagd gehen und somit edles Wild für ihr zweites Hobby, das Grillen, selbst erlegen können, nimmt sich da fast schon konventionell aus.

INTERAKTIVES GRILLEN

„Ich liebe beim Grillen die Möglichkeit, im Freien zu kochen und dabei gleichzeitig mit Freunden interaktiv zu sein. Grillen ist ja eigentlich eine recht einfache Methode der Zubereitung von Gerichten, doch die Ergebnisse sind enorm vielfältig", erklärt Peter sein Faible für das Garen auf dem heißen Rost. Fleisch wird bei ihm zumeist nicht in der Küche, sondern auf dem Grill oder im Smoker zubereitet, egal, ob es Winter oder Sommer ist. Schließlich mangelt es nicht am passenden Gerät. „Wie viele Grillgeräte wir genau haben? Das weiß ich nicht, diese Frage muss mein Mann beantworten, ich habe den Überblick verloren", gibt Christa freimütig zu. Dass sie von ihrem Mann vor einigen Jahren ei-

nen Pizzaofen geschenkt bekommen hat, ist ihr allerdings sehr präsent: „Der Pizzaofen wird bei uns oft angeheizt, auch beim Brotbacken. Pizza gibt's zu vielen Gelegenheiten, als schnelles Mittagessen, kleine Vorspeise oder auch als ‚Erlebnis-Essen' mit Freunden, bei denen sich jeder seine Pizza selbst belegen und backen muss." Kommunikationsfreundlicher kann Grillen wohl kaum mehr sein.

EINGESPIELTE CREW

Als Gegenpol zur nicht gerade kalorienarmen Pizza stehen bei dem sportlichen Pilotenpaar häufig leichte Fischgrillereien auf dem Programm, etwa der im Anschluss vorgestellte Waller mit Kräuterpesto, oder auch Fleischloses. „Vegetarisch zu grillen war stets ein fixer Bestandteil meiner Grillküche, das haben wir schon immer so gehalten", berichtet Peter und Christa pflichtet ihm bei: „Kohlrabi, Fenchel oder Spargel gehören zu meinen Lieblingsgrillgemüsen. Sehr fein schmecken auch Zucchini-Spieße, die man etwa mit Halloumi oder Feta verfeinern kann, oder die recht guten vegetarischen Bratwürstel, die man mittlerweile überall kaufen kann. Die sind bei einer großen Grillerei immer dabei und kommen nicht nur bei Vegetariern gut an." Nach einer Grillerei auch immer dabei: das feine Achterl Wein beim – wohlgemerkt – gemeinsamen Aufräumen. Kein Aufsplitten der Kompetenzen von Pilot/in oder Co-Pilot/in, sondern einfach eine bestens eingespielte, gleichberechtigte Crew!

GEGRILLTER WALLER MIT KRÄUTERPESTO UND ASADOGEMÜSE

ZUBEREITUNG

1 Die Kohlrabi- und Fenchelknollen zuerst in Backpapier, danach in Alufolie einwickeln. (Das Backpapier dient als Schutz, damit das Gemüse nicht den Geschmack und die Schadstoffe der Alufolie aufnimmt.) Die Glut vorbereiten, das Gemüse direkt auf die glühenden Kohlen legen und etwa 1 Stunde grillen.

2 Inzwischen den Waller waschen, filetieren und die Hautseite leicht mit Öl einstreichen. Die Filets auf der Fleischseite salzen.

3 Für das Pesto die Kräuter mit Olivenöl mixen oder pürieren. Dabei so viel Öl verwenden, dass das Pesto nicht zu flüssig wird, sondern eine relativ feste Konsistenz aufweist.

4 Den Grill mit einer Grillplatte auf 200 °C vorheizen. Den Fisch mit der Hautseite nach unten auf die Platte legen und 10–12 Minuten grillen. Den fertig gegrillten Waller von der Hitze nehmen, auf vorgewärmten Tellern anrichten und das Pesto dick auftragen. Das Gemüse aus der Folie wickeln, salzen, pfeffern und mit etwas Olivenöl beträufeln, mit dem Fisch servieren.

ZUTATEN

1 Waller im Ganzen mit Haut mit ca. 1—2 kg (oder Waller-filets)
Öl
Salz

FÜR DAS KRÄUTERPESTO
250 g Petersilie
250 g Estragon
250 g Kerbel
250 g Koriander
250 g Basilikum
Olivenöl nach Bedarf

FÜR DAS ASADOGEMÜSE
4 Kohlrabiknollen
4 Fenchelknollen
Salz, Pfeffer
Olivenöl

☞ DER SPEZIELLE TIPP ZUM REZEPT

Wir lieben diese Art von leichtem Essen. Fisch und Gemüse sind rasch zubereitet, das Rezept ist einfach und leicht nachzukochen — einen Geheimtipp braucht man dafür nicht!

**VERWENDETER GRILL
GLUT UND GRILLPLATTE**

PIZZA VOM GRILL

ZUBEREITUNG

1 Für den Teig Wasser mit Mehl, etwas Olivenöl, Germ und einer Prise Salz zu einem glatten Teig kneten und einige Zeit gehen lassen.

2 Das Geheimnis der Pizza liegt darin, den Teig nicht auszurollen, sondern mit den Händen von innen nach außen auszuziehen. Den Teig also in 4 Stücke teilen und wie beschrieben ausziehen.

3 Den Teig dünn mit passierten Tomaten bestreichen und mit sehr dünnen Mozarellascheiben belegen. Dann nach Belieben belegen, aber nicht zu viel, damit die Pizza schön knusprig wird.

4 Pizza bei 350–400 °C in den gut vorgeheizten Pizzaofen schieben und am besten daneben stehen bleiben. Denn die Pizza ist in wenigen Minuten fertig.

☞ DER SPEZIELLE TIPP ZUM REZEPT

Für dieses Rezept muss man keinen Pizzaofen verwenden, es funktioniert auch auf einem Grill bzw. mit dem Pizzastein. Aus diesem Teig lässt sich auch köstlicher Flammkuchen zubereiten, wobei der Teig in diesem Fall nicht gehen muss.

ZUTATEN

250 ml Wasser
500 g glattes Mehl Type 780
Olivenöl
7 g Germ
Salz

FÜR DEN BELAG
passierte Tomaten
Mozzarella
Schinken etc. nach Belieben

**VERWENDETER GRILL
PIZZAOFEN (SIEHE TIPP)**

CHRISTOPH & DIETMAR GRABOWSKI

ICH GRILLE AM LIEBSTEN AUF ...

„Mein Bruder Christoph grillt ausschließ–
lich auf dem Holzkohlegrill, ich selbst liebe
meine Kombination von Gas- und Holzkohlegrill. Dabei grillen wir je nach Gericht
entweder indirekt oder mit direkter Hitze",
verrät Grillmeister Dietmar.

HOPPALA

„Zu meinem Geburtstag im November haben mein Bruder
Christoph und ich zwei wunderschöne Gansln auf dem
Drehspieß zubereitet. Nach etwa 4,5 Stunden waren die
Gansln perfekt gegrillt und augenscheinlich auch wunder–
bar zart — allerdings schaffte es mein Bruder trotzdem
beim Tranchieren die stabile Geflügelschere zu zerbrechen.
Das ist wahre Beamtenkraft!

BRUDERLIEBE UND GRILLLEIDENSCHAFT

Es waren einmal zwei Brüder, Christoph und Dietmar. Sie wuchsen in Pama bei Neusiedl am See im Burgenland auf und hatten eine schöne Kindheit.

Besonders aufregend fanden sie es, gemeinsam am Lagerfeuer Würstel, Speck und Brot zu grillen, eine Erinnerung, an die sie heute noch gerne zurückdenken ... Was wie der Beginn eines Grimm'schen Märchens klingt, ist nichts anderes als der Grundstein der bis heute lodernden Grillleidenschaft von Christoph und Dietmar Grabowski. Mittlerweile sind die Brüder freilich erwachsen geworden, haben unterschiedliche Berufe ergriffen und jeder eine Familie gegründet, aber die Liebe zum Grillen ist beiden geblieben und verbindet sie noch heute. Also doch eine schöne und zudem wahre Geschichte.

FÜR ALLE SINNE

Der kindliche Zugang zum Grillen über offenem Feuer hat bei den Grabowskis zwischenzeitlich einer differenzierten Annäherung Platz gemacht. „Grillen befriedigt die experimentelle Wissbegierde aller Sinnesorgane: Da gibt's Feuer und Flamme, den Geruch von Rauch, den herrlichen Geschmack von Gegrilltem. Grillen ist entspannend, verschafft eine Auszeit vom Alltagsstress. Kulinarische Atmosphäre - Gespräche - Hilfe - Zusammenhalt -, das sind Begriffe, die ich mit Grillen assoziiere", umreißt Didi seine Gedanken rund ums Grillen, die aber nicht im Theoretischen stecken bleiben. „Außerdem schmeckt das Bier draußen am besten", meint er schmunzelnd. Statt Frankfurter am Steckerl werden heute Leckerbissen vom Schwein, Rind, Huhn, Fisch und Meeresfrüchte auf dem heißen Rost gegart. „Dabei achten wir darauf, dass die Produkte möglichst von regionalen (Bio-)Produzenten aus unserer unmittelbaren Umgebung stammen, die Transportwege entsprechend kurz sind und die Haltung von Tieren artgerecht ist.

Fertigprodukte haben bei uns echten Seltenheitswert, denn da ist kaum zu eruieren, woher die Zutaten kommen", präzisiert Christoph den verantwortungsbewussten Umgang mit Lebensmitteln. Schließlich hat er für seine beiden Töchter Julia und Lena ebenso Vorbildcharakter wie Bruder Dietmar für Lisa und Laura, die beim Grillen auch schon fest mit dabei sind.

GRILLEN MIT HUMOR

Bei aller Gemeinsamkeit unterscheiden die beiden burgenländischen Grillmeister doch so einige Charakterzüge. Als Beamter und leidenschaftlicher Hobbykoch geht Christoph an das Thema Grillen mit großer Gewissenhaftigkeit heran, fahndet in seinen über 100 Kochbüchern nach passenden Rezepten, um sie dann kreativ abzuändern, wie etwa das auf den folgenden Seiten vorgestellte Pulled Pork im Grammelpogatscherl. Kreativ, aber auch wagemutig und sauber im Arbeiten sieht sich Christoph. Wie sein Bruder treibt auch er gerne Sport, hat aber als selbständiger Unternehmer im Bereich Registrierkassen auch ein großes Faible für Technik. Seine Ideen für diverse Grillevents holt er sich am liebsten aus dem Internet und auf Foodblogs oder gleich bei Adi Bittermann und seinen Grillkursen. Wie das im Detail vonstattengeht, lassen wir die beiden am besten selbst erzählen: „Wenn wir gemeinsam grillen wollen, überlegen wir vorher, was wir grillen werden. Danach gehen wir mit den Bankomatkarten unserer Frauen zu unseren regionalen Produzenten. Als Dankeschön für den Einkauf, den unsere Frauen bezahlt haben, macht der Geschirrspüler den Abwasch", so die Grill-Brothers augenzwinkernd.

☞ **DER SPEZIELLE TIPP ZUM REZEPT**

Wir schätzen den — in diesem Fall intensiveren — Fleischgeschmack des Mangalitza-Schweins. Statt des üblicherweise verwendeten Krautsalats verwenden wir auch gerne selbst gemachtes säuerlich-süßes Paradeiskraut, das gibt dem Burger nochmals einen Kick.

CHRISTOPH & DIETMAR GRABOWSKI — BURGENLAND

PULLED PORK VOM MANGALITZA-SCHOPF IM GRAMMELPOGATSCHERL-BUN

VORBEREITUNG

1 Für die Gewürzmischung die Rosmarinnadeln abstreifen, fein hacken und mit den restlichen Gewürzen vermengen. Das zugeputzte Fleisch mit der Gewürzmischung gut einreiben, in Frischhaltefolie einpacken und 24 Stunden kühl ziehen lassen.

ZUBEREITUNG

2 Am nächsten Tag den Grill zum Smoken vorbereiten. Den marinierten Schopfbraten in den Smoker geben und bei einer Temperatur von 120 °C etwa 10 Stunden auf eine Kerntemperatur von 86 °C smoken.

3 Währenddessen für die Grammelpogatscherl-Buns die lauwarme Milch mit Zucker, Salz, Germ, flüssiger Butter, Backmalz und Eiern vermischen. Das gesiebte Mehl und die fein gehackten Grammeln untermischen und alles zu einem Teig verarbeiten. Abgedeckt 30 Minuten gehen lassen. Auf einer bemehlten Arbeitsfläche den Teig zu 4 gleich großen Kugeln formen und mit den Handballen schleifen (bearbeiten). Nochmals gehen lassen. Mit dem versprudelten Eigelb bestreichen, mit den feingehackten Grammeln bestreuen und bei 180 °C etwa 18 Minuten backen.

4 Gegen Ende der Garzeit des Schopfbratens den Apfelsaft mit Rindsuppe und Apfelessig aufkochen. Das Fleisch einlegen, einpacken und ca. 30 Minuten aufdämpfen lassen, damit es sich dann leichter auseinanderziehen lässt. Die Kerntemperatur steigt dabei auf ca. 90–95 °C. Anschließend das Fleisch wieder herausnehmen und am besten mit zwei Krallen (oder kräftigen Gabeln) auseinanderzupfen.

5 Grammel-Buns halbieren und kurz angrillen. Radieschenscheiben auf die Unterseite legen, Pulled Pork einlegen, mit Krautsalat oder Paradeiskraut belegen und die Buns zusammensetzen.

ZUTATEN

ca. 1,5 kg Schopfbraten vom Mangalitza-Schwein
Radieschen und Krautsalat oder Paradeiskraut zum Servieren

FÜR DIE GEWÜRZMISCHUNG
1 Zweig Rosmarin
20 g Salz
6 g Pfeffer
10 g brauner Zucker
1 TL Kreuzkümmel
4 TL geräucherter Paprika
1 TL Chilipulver
2 TL Koriandersamen
2 TL Knoblauchpulver
2 TL Zwiebelpulver

FÜR DIE BUNS
120 ml lauwarme Milch
30 g Zucker
8 g Salz
30 g Germ
100 g flüssige Butter
6 g Backmalz
2 Eier
420 g Weizenmehl Type 700 plus Mehl zum Arbeiten
30 g gehackte Grammeln für den Teig
1 Eigelb zum Bestreichen
10 g feingehackte Grammeln

ZUM DÄMPFEN
300 ml Apfelsaft
300 ml Rindsuppe
50 ml Apfelessig

**VERWENDETER GRILL
GASGRILL**

BAUMKUCHEN MIT KIRSCHENRÖSTER

VORBEREITUNG

1   Zuerst aus einem ausgedienten hölzernen Nudelwalker einen Baumkuchen-Halter basteln. Dafür die Griffe links und rechts abtrennen und in die Mitte des Nudelwalkers ein Loch bohren, damit er auf den Drehspieß gesteckt werden kann. Das ist eine kleine Herausforderung, doch die Mühe lohnt sich, das Nudelholz kann immer wieder für herrliche Baumkuchen verwendet werden.

ZUBEREITUNG

2   Für den Germteig die lauwarme Milch mit Salz, Staubzucker und Germ verrühren. Das Mehl in eine Schüssel sieben. Ei sowie Eigelb mit flüssiger Butter vermischen und mit dem Milch-Germ-Gemisch über das Mehl gießen. Zu einem glatten Teig verkneten und an einem warmen Ort zugedeckt ca. 1 Stunde gehen lassen.

3   Während der Teig geht, für den Kirschenröster den Kirschensaft mit Zucker, Zitronensaft und Zimtstange aufkochen. Die Kirschen einlegen und kurz köcheln lassen, bis sie weich geworden sind. Stärke mit wenig kaltem Wasser anrühren, zugeben und den Saft damit binden. Mit Kirschbrand abschmecken und überkühlen lassen.

4   Den Germteig zu einer 2–3 mm dicken Scheibe (wie eine Pizza) ausrollen und von außen beginnend zur Mitte hin 2 cm breite Streifen schneckenförmig einschneiden. Den Nudelwalker mit Butter einstreichen und von oben weg mit den Germteigstreifen überlappend so umwickeln, dass der Teig bis ca. 1 cm vor dem unteren Ende des Nudelholzes endet. Das Ende fest eindrücken. Auf einem Backpapier braunen Zucker verteilen, den aufgewickelten Baumkuchenteig darin so wälzen, dass der Zucker gut haften bleibt.

5   Einen Grill mit Drehspieß auf ca. 200 °C einregeln und den Baumkuchen auf dem Drehspieß indirekt ca. 15 Minuten grillen. Sobald der Zucker anfängt zu karamellisieren, den heißen Spieß mit feuerfesten Handschuhen (Achtung, sehr heiß!) herunternehmen. Den Baumkuchen noch heiß in mit Zimt aromatisierten gehackten Haselnüssen wälzen. Überkühlen lassen, vom Nudelholz hinunterschieben, nach Belieben mit Vanilleeis oder Obers garnieren und mit dem Kirschenröster servieren.

ZUTATEN

220 ml lauwarme Milch
Prise Salz
3 EL Staubzucker
20 g Germ
500 g Weizenmehl Type 700
1 Ei
1 Eigelb
50 g flüssige Butter
Butter zum Bestreichen
brauner Zucker
gehackte Haselnüsse, mit Zimt vermischt
Vanilleeis, Schlagobers etc. zum Garnieren
1 altes Nudelholz zum Aufwickeln des Teiges

FÜR DEN KIRSCHENRÖSTER
100 ml Kirschensaft
3 EL Zucker
Zitronensaft nach Geschmack
1 Zimtstange mit ca. 3 cm
500 g reife Kirschen, entkernt (frisch oder gefroren)
1 TL Speisestärke
3 EL Kirschbrand

**VERWENDETER GRILL
GRILL MIT DREHSPIESS**

WALTER HECHENBERGER

ICH GRILLE AM LIEBSTEN AUF …

„Nach Lagerfeuer und zahlreichen sehr billigen, wackeligen Kohlegrillgeräten kam für mich endlich der Weber Kugelgrill aus den USA: stabil und einigermaßen gut regulierbar, für direktes oder indirektes Grillen. Von einem Amerika-Aufenthalt nahm ich dann noch einen Gasgrill mit nach Hause. Fortan wird also nur mehr mit einem spitzenmäßigen Weber-Gasgrill gearbeitet. In meinem Ferienhaus in den Bergen grille ich auch gerne über offenem Feuer, auf einer Grillschale mit schwenkbarem Rost — wunderbar!"

HOPPALA

„Einmal war Adi Bittermann bei mir zu Gast und da wollte ich natürlich all das in seinen Grillkursen Gelernte voll umsetzen. Leider hatte ich dabei den Grill dermaßen überhitzt dass nicht nur das schöne Entrecôte, sondern der ganze obere Teil des Grills zu brennen begann. Als Adi das sah, sagte er seelenruhig: ‚Es brennt', stand auf, ging zum Grill und rettete unsere Fleischerl mit einer unwahrscheinlichen Ruhe. Ehrlich gesagt hatte ich das Herz in der Hose und war ob des doch guten Ergebnisses sehr froh, dass das Missgeschick in Adis Gegenwart passierte."

ZIGARRENLIEBHABER UND GENUSSMENSCH

Genießer scheinen dem Zauber rund ums Grillen speziell zugetan zu sein.

Man fokussiert sich auf die Zubereitung von meist edlen Fleischstücken und hat nebenher noch genügend Zeit mit Freunden zu plaudern, vielleicht dazu auch eine schöne, dicke Zigarre zu rauchen. All das schätzt Walter Hechenberger beim Grillen ganz besonders. Kein Wunder also, dass er sein Grillgerät in den Sommermonaten fast täglich zum Glühen bringt. Doch am Anfang seiner Grillkarriere standen eher einfache Genüsse. „Ich habe schon als Kind gerne mit offenem Feuer gespielt und das Flackern des Feuers sowie die Strahlungswärme genossen. Dann kam die Freude dazu, etwas über diesem Feuer zu kochen oder zu braten. Zuerst war es ein Erdapfel am Steckerl, nun sind es herrliche Rib-Eye-Steaks und Tomahawks."

READY FOR TAKE-OFF

Natur, Freiheit, Ausspannen – das ist für den ehemaligen technischen Direktor bei diversen Airlines ein notwendiger Ausgleich, um den Stress des Alltags bewältigen zu können. Und das tut nicht nur ihm gut, Familie und Freunde profitieren gleich mit. „An Wochenenden im Sommer kommen oft Freunde vorbei, dann stehen wir rund um den Grill, das Grillgut brutzelt sanft vor sich hin. Wir mit einem Glas guten Wein oder Bier in der Hand, vertieft in ein anregendes Gespräch, das sich nicht selten ums Grillen dreht." Gegeneinladungen gibt es mittlerweile auch genügend, denn Walter hat in Sachen Grillen in seinem Umfeld einen Trend losgetreten. Immer mehr seiner Freunde besuch(t)en ebenfalls Grillkurse bei Adi Bittermann – Fazit: Das Selbstvertrauen seiner Grillkumpanen für ein Take-off in den BBQ-Himmel stieg gewaltig.

WAS, WIE UND WO?

Mit kleinteiligem Grillgut gibt sich der Liebhaber guter Rotweine weniger gerne ab als mit schönen, großen Stücken. Ein saftiges Entrecôte etwa, ein ordentliches T-Bone-Steak, dry oder wet aged, ein ganzes Freilandhuhn oder ein prächtiger Zander – das sind die Objekte seiner Grillbegierde. „Vor vielen Jahren, bei einem meiner ersten Grillkurse bei Adi Bittermann, wurde der Grundstein zu meinem Qualitätsbewusstsein gelegt. Ich achte nun auf Rasse, Geschlecht und Alter eines Tieres. Wie und wo wurde das Tier aufgezogen, wie war die Fütterung? Das ist mittlerweile für mich wichtiger geworden als der Preis." Derselbe Anspruch gilt auch fürs Gemüse, das bei Walter weniger Haupt- denn Nebenrolle spielt. „Wir sind Fleischtiger, Gemüse ist eine geschmackvolle Beilage." Da in einem guten Stück auch Nebenrollen gut besetzt sein wollen, kommen Zucchini, Paprika, Paradeiser, Kohlrabi oder Spargel aber ausschließlich von Bauern aus der Umgebung Bruckneudorf, dem Wohnort des Grillmeisters. Topbesetzung also bis ins letzte Glied und beste Voraussetzung für kräftigen Schlussapplaus bei seinen Grillabenden.

WALTERS GRILLHUHN

ZUBEREITUNG

1 Das Huhn salzen und mit wenig Chilipulver einreiben. Den Bauchraum ebenfalls salzen, pfeffern und die Rosmarinzweige hineinstecken. Die mittlere Öffnung einer Geflügel-Gusseisenpfanne mit Wasser auffüllen bzw. die Pfanne mit Wasser bedecken, den mittleren Spieß aufsetzen und das vorbereitete Huhn daraufsetzen.

2 Zwiebeln und Knoblauch mit der Schale halbieren. Die Erdäpfel nur bei Bedarf schälen, gemeinsam mit Zwiebeln und Knoblauch (beides mit der Schnittfläche nach unten) rund um das Huhn verteilen. Huhn im vorgeheizten Grill mit geschlossenem Deckel bei 150–170 °C ca. 40 Minuten grillen.

3 Deckel öffnen, Huhn mit etwas flüssiger Butter bestreichen und eventuell etwas Wasser und Wein zum Gemüse gießen. Das Huhn auf eine Kerntemperatur von ca. 80 °C fertig grillen. Dabei ist es wichtig, den Grill in den letzten 10 Minuten auf 220 °C zu erhitzen, damit die Haut auch wirklich knusprig wird. Die gesamte Grillzeit beträgt somit ca. 60–70 Minuten.

4 Das fertige Huhn herausheben, tranchieren und anrichten. Das Gemüse ebenfalls anrichten und den verbleibenden Saft dazu servieren.

ZUTATEN

1 Bio-Huhn mit ca. 1,5 kg
Salz
Chilipulver
Pfeffer
2 Rosmarinzweige
6 kleine Zwiebeln
3 ganze Knoblauchknollen
6 kleine Erdäpfel
flüssige Butter zum Bestreichen
evtl. Wasser und Wein zum Aufgießen

☞ DER SPEZIELLE TIPP ZUM REZEPT

Damit das Huhn auch wirklich schön saftig bleibt, verschließe ich die Halsöffnung gerne mit einer halbierten Knoblauchknolle oder Kartoffel.

**VERWENDETER GRILL
WEBER GENESIS® II SP-435 GBS**

KARPFENFILET MIT PAPRIKAGEMÜSE

ZUBEREITUNG

1 Die Paprikaschoten putzen und in Streifen, die Zwiebeln feinwürfelig schneiden. Die Karpfenfilets schröpfen, d.h. in regelmäßigen Abständen tief einschneiden, mit Salz und Pfeffer würzen. Auf der Hautseite leicht in Mehl wenden.

2 Einen Grill auf 220 °C aufheizen, eine Gusseisenpfanne aufstellen und ebenfalls erhitzen. Leicht einölen und das bemehlte Karpfenfilet mit der Hautseite nach unten in die heiße Pfanne legen. Etwa 8 Minuten grillen, dann mit einer Schaufel vorsichtig herausheben und kurz warm stellen.

3 Für das Paprikagemüse die Zwiebeln in der heißen Pfanne im Bratrückstand heiß anrösten, Paprikastreifen zugeben, mit Salz, Pfeffer, Kümmel und Honig abschmecken und einmal durchrühren. Das beiseite gestellte Karpfenfilet mit der Haut nach oben auflegen, mit etwas frisch geriebenem Kren bestreuen und rasch auftragen.

ZUTATEN

2 Karpfenfilets à ca. 400 g
Salz, Pfeffer
Mehl zum Wenden
Öl
frisch geriebener Kren zum Garnieren

FÜR DAS PAPRIKAGEMÜSE

je 1 rote, gelbe und grüne burgenländische Paprikaschote
je 1 rote und weiße Zwiebel
Salz, Pfeffer
1 Messerspitze Kümmelpulver
1 EL Honig

☞ DER SPEZIELLE TIPP ZUM REZEPT

Zu diesem geschmacklich recht kräftigen Fischgericht passt ein gutes Kräuterpesto ganz hervorragend.

**VERWENDETER GRILL
HOLZKOHLE- ODER GASGRILL MIT EINER GUSSEISENPFANNE ODER EINEM GLASIERTEN PIZZASTEIN**

KNUSPRIGER SCHWEINEBAUCH MIT SZEGEDINERKRAUT

ZUBEREITUNG

1 Den Schweinebauch in ca. 1 cm starke Scheiben schneiden, salzen und ziehen lassen. Die gewaschenen Erdäpfel mit der Schale in Scheiben schneiden und ebenfalls salzen.

2 Für das Szegedinerkraut das Kraut halbieren, den Strunk entfernen und das Kraut fein schneiden. Die Zwiebeln halbieren und ebenfalls in feine Streifen schneiden, den Knoblauch fein hacken. Grill auf 180 °C einregeln, einen Dutch Oven auf dem Grill erhitzen und das Kraut darin kurz anrösten, dann das Öl einrühren. Zwiebeln sowie Knoblauch zugeben, kurz durchrösten, Tomatenmark einmengen, weiterrösten und mit Hesperidenessig ablöschen. Gemüsefond zugießen, mit Lorbeer, Kümmel und Paprikapulver würzen, leicht salzen und pfeffern und zugedeckt ca. 25 Minuten bei 180 °C köcheln lassen. Anschließend das Kraut an die Seite stellen und den verrührten Sauerrahm leicht untermischen, dabei 2 Esslöffel Rahm für die Garnitur zurückbehalten.

3 Die Schweinebauch- und Erdäpfelscheiben indirekt auf den heißen Grill auflegen und bei 200 °C ca. 25–30 Minuten knusprig grillen (siehe Tipp). Das fertige Kraut in tiefen Tellern anrichten und das Fleisch abwechselnd mit den Erdäpfelscheiben anrichten. Mit einem Tupfen Sauerrahm garnieren.

ZUTATEN

1 kg Schweinebauch ohne Knorpel, mit Schwarte
2 große Ofenerdäpfel

FÜR DAS SZEGEDINERKRAUT
1 Krautkopf
2 Zwiebeln
2 Knoblauchzehen
2 EL Öl
1 EL Tomatenmark
ca. 65 ml Hesperidenessig
1 l Gemüsefond oder Rindsuppe
3 Lorbeerblätter
1 TL Kümmel (ganz)
1 EL edelsüßes Paprikapulver
Salz, Pfeffer
100 ml Sauerrahm

☞ DER SPEZIELLE TIPP ZUM REZEPT

Ich habe für dieses Gericht eine spezielle Antihaft-Halterung für Schweinefleischstreifen von Weber verwendet. In diese praktische Grillpfanne kann man die Erdäpfel- und Fleischscheiben abwechselnd einlegen und auch indirekt grillen. Der Vorteil: Das ausgelaufene Fett wird unten am Boden gesammelt und man kann damit das Kraut noch zusätzlich verfeinern.

VERWENDETER GRILL
HOLZKOHLEGRILL

LACKIERTE ENTE MIT ROTE-RÜBEN-LAUCH-GEMÜSE

ZUBEREITUNG

1   Für die Lacksauce sämtliche Gewürze in einer Pfanne trocken, also ohne Fett, anrösten, bis sie zu „tanzen" beginnen. Anschließend im Mörser fein zerstoßen. Soja- und Worcestershiresauce sowie Honig in einer Pfanne erhitzen, die zerstoßenen Gewürze zugeben und die Sauce bei kleiner Flamme 7–8 Minuten köcheln lassen. Zur Seite stellen.

2   Den Grill auf 200–220 °C vorheizen. Die Roten Rüben mit Schale indirekt etwa 35 Minuten grillen. Anschließend überkühlen lassen.

3   Die Entenbrust auf der Fettseite kreuzweise einschneiden, salzen und kurz ziehen lassen. Auf dem heißen Rost mit der Haut nach unten 2 Minuten angrillen. Aber Achtung! Das herabtropfende Fett lässt die Flammen ganz schön hochzüngeln (siehe dazu auch Tipp rechts). Entenbrust wenden und nochmals 2 Minuten auf der Unterseite grillen. Dann vom Rost nehmen, mit der vorbereiteten Lacksauce bestreichen und in der indirekten Zone (mit Kerntemperaturfühler) etwa 10–12 Minuten auf 60 °C Kerntemperatur ziehen lassen.

4   Eine kleine Pfanne auf den heißen Rost stellen. Die überkühlten Roten Rüben schälen und kurz mit der Gabel zerdrücken. Zucker in der heißen Pfanne schmelzen, Rüben zugeben, kurz karamellisieren, mit Zitronensaft und Honig abschmecken. Zitronenzeste, Chili sowie Lauchringe zugeben, den Deckel schließen und die Rüben kurz ziehen lassen. Die fertigen Rüben anrichten und mit gehacktem Basilikum bestreuen. Die Entenbrust aufschneiden, auf das warme Gemüse setzen und mit der restlichen Lacksauce garnieren.

ZUTATEN

2 Rote Rüben
2 Entenbrüste mit je ca. 300 g
2 EL brauner Zucker
Saft und Schale von 1 Zitrone
2 EL Honig
1 Messerspitze fein gehackte frische Chili
100 g Lauchringe
fein gehacktes Basilikum
Salz

FÜR DIE LACKSAUCE

1 EL Pfefferkörner
1 EL Senfkörner
1 EL Korianderkörner
1 EL Fenchelsamen
100 ml Sojasauce
Schuss Worcestershiresauce
4 EL Honig

**VERWENDETER GRILL
GAS- ODER HOLZKOHLEGRILL**

☞ **DER SPEZIELLE TIPP ZUM REZEPT**

Wer Angst davor hat, dass durch das
herabtropfende Fett der Entenbrust die
Flammen hochzüngeln, stellt am besten eine
Gusseisenpfanne oder –platte auf den Grill
und grillt die Entenbrust anfangs darin an —
ganz ohne Fettbrand!

OBERÖSTERREICH

Beim Blick hinter den Gartenzaun unserer oberösterreichischen Grillmeister habe ich mich ganz besonders auf ein Wiedersehen mit einer Kultfigur der Grillszene und einem langjährigen Freund von mir gefreut: Leo Gradl in seiner Grillschule „Im Stillen Tal" im südlichen Mühlviertel. Leo ist nicht nur mehrfacher Weltmeister und ein begnadeter Grilltrainer, er versorgt seine Anhänger durch seinen Hofladen auch mit jenem Stoff, nach dem alle Grillverrückten hier süchtig sind – mit bestens gereiftem Fleisch „made im Mühlviertel". Das Mühlviertel ist überhaupt eine Gegend, in der sich sehr viel Innovatives tut. „The Beer Buddies Brewing Company" und ihr Tragweiner Bier, das Bio-Getränk „Pedacola" aus 100 % natürlichen Zutaten oder das „Kaltenberger Whiskyschwein", das mit der Schlempe (Destillationsrückständen) des Kaltenberger Whiskys gefüttert wird, möchte ich nur stellvertretend für alle anderen Unternehmen erwähnen, die hier Großartiges leisten.

DICHTE WÄLDER, KLARE SEEN

Qualitätsfleisch wird aber nicht nur im Mühlviertel, sondern auch in allen anderen Landesteilen Oberösterreichs produziert. Bei Rindfleisch gibt es einen hohen Anteil an Fleckvieh, sehr wenig Braunvieh, Schwarzbunte, Limousin, Pinzgauer und etwas Grauvieh. Die Vierkanthöfe, von denen ich viele in Oberösterreich gesehen habe, finde ich echt faszinierend. Sie erzählen von den vielen unterschiedlichen Lebensmitteln, die hier von fleißigen Händen produziert werden. Etwa vom berühmten Innviertler Surspeck oder von Geflügelbauern, die den Markt mit freilaufenden Hühnern, Wildhühnern, Perlhühnern, Enten, Gänsen oder Puten versorgen. Die Mühlviertler Alm-Weidegans ist dabei eine ganz besondere Spezialität.

Die dichten Wälder zwischen Hochficht und oberösterreichischen Alpen sind die Heimat von hochwertigem Wild, das auch bei Grillfreaks sehr begehrt ist. Einige dieser Grillbegeisterten haben sich übrigens in der Gegend rund um Schärding zum Verein der „BBQ Friends" zusammengeschlossen. Ein sehr aktiver Verein, der mir den Blick in die regionale Grillszene besonders vergnüglich machte. Und in den klaren Seen, Bächen und vielen Teichanlagen Oberösterreichs tummeln sich schließlich Bachforellen, Seesaiblinge, Äschen, Regenbogenforellen, Weißfische, Karpfen, Schleie, Hechte und Zander – auch das bester Rohstoff für köstliche Grillabende.

KULINARISCHER REICHTUM

Wo gegrillt wird, wird meist auch ganz gerne getrunken. Wein bauen die Oberösterreicher bis auf ganz wenige Ausnahmen zwar keinen an, dafür gibt's aber großartigen Most, vielfach prämierte Schnäpse und jede Menge ausgezeichnetes Bier, zum Teil auch aus kleinen Brauereien. Der Mühlviertler Hopfen liefert dafür die auch über die Landesgrenzen hochgeschätzte Basis. In Erinnerung geblieben sind mir auch die Erzählungen über Produkte aus den mittlerweile wieder populärer werdenden oberösterreichischen Ölmühlen, die nicht nur Essbares, sondern auch allerlei anspruchsvolle Kosmetik- und Körperpflegeprodukte anbieten.

Kräuterhöfe, Imker und vor allem die Gemüsebauern, etwa jene aus dem Eferdinger Becken, steuern all die Grundzutaten bei, die für unsere oberösterreichischen Grillmeister an ihren Grillgeräten zwar sicher nicht die Hauptrolle spielen, aber als Begleitung nicht ganz unwichtig sind: zarten Eferdinger Spargel, buntes Gemüse von Brokkoli über Rote Rüben bis zu Zucchini oder die auch in der Gastronomie sehr geschätzten Erdäpfel aus dem Sauwald. Obstbäume haben wir auf unserer Grilltour durch Oberösterreich natürlich auch gesehen, hauptsächlich Äpfel und Birnen. Dieses Obst ist nach meinen Erfahrungen für unsere Hobby-Griller ein ganz wesentlicher Faktor, freilich nicht auf dem Grill, sondern im Glas als hochprozentiger Abschluss eines gelungenen Grillabends. Doch nun Vorhang auf für unsere oberösterreichischen Grillmeister!

MARKUS GÜNTNER & REINHARD KOPLER

ICH GRILLE AM LIEBSTEN AUF …

„Ich schätze den Duft von Wood Chunks, die ich am liebsten mit meinem Kamado-grill verwende, je nach Rezept mit direkter und/oder indirekter Hitzequelle", kommt von Markus Güntner blitzschnell die Ant-wort auf die Frage nach dem bevorzugten Grillgerät. „Ich arbeite auf mehreren Grills und Smokern, einen Lieblingsgrill habe ich nicht, ich grille auch gerne auf offenem Feuer bei meiner Feuerstelle", kann sich Reinhard Kopler hingegen nicht auf einen Favoriten festlegen.

DIE JÜNGER DER „FROHEN BARBECUE-BOTSCHAFT"

„Güntner & Kopler" — klingt wie der Name eines erfolgreichen Kabarettduos. Stimmt aber nicht, denn hier geht es weder um Kabarett noch um ein Duo.

Üblicherweise gesellt sich zu Markus Güntner und Reinhard Kopler nämlich noch Boris Haindl dazu, womit ein grillverrücktes Trio komplett wäre. Boris konnte aus Zeitgründen an unserer Challenge nicht teilnehmen, doch alle drei sind Mitglieder des im oberösterreichischen Taufkirchen an der Trattnach angesiedelten Vereins „BBQ Friends" und alle grillen am liebsten gemeinsam. „Unser Verein widmet sich – humoristisch formuliert – der Verbreitung der ‚frohen Barbecue-Botschaft' und allem, was so dazugehört. Das betrifft nicht nur das Grillen selbst und die Rezepte, sondern auch die dazugehörigen Geräte und die Lebensmittel, insbesondere natürlich Fleisch. Regionalität ist ohnehin selbstverständlich, noch wichtiger ist für uns die Frage, wie und unter welchen Bedingungen die Lebensmittel entstanden sind", skizziert Markus Güntner die Grundsäulen des engagierten Grillteams.

HOBBY NUMMER EINS

Wenn so viel Ernsthaftigkeit rund um das Thema Feuerküche an den Tag gelegt wird, dann wundert es auch nicht, dass ein IT-Consultant für „smart Workspace" in der Freizeit durchaus praxisbezogen unterwegs ist. Also macht Markus Güntner Schinken und Speck mit Begeisterung selbst. Sein Grillpartner Reinhard Kopler sorgt für bestes Schweinefleisch aus einem benachbarten Schlachtbetrieb und steuert ab und zu selbstgefangene Fische bei. „Ich angle gerne, ich mag die Ruhe und Entspannung in der Natur. Als Gegenpol dazu powere ich mich aber auch gerne beim Paintball aus", erklärt der zweifache Familienvater sein Konzept für physische und psychische Ausgeglichenheit. So er denn für all das Zeit findet. Denn neben Familie ist und bleibt Barbecue für beide Herren das Hobby Nummer eins.

WAS IST EINE GRILLSAISON?

Glücklicherweise lassen sich die beiden Bartträger dabei nicht durch das Wetter einschränken. „Grillsaison – was ist das? Uns stehen 365 Tage im Jahr zur Verfügung!" An Ideen für immer neue Gerichte mangelt es dank intensiver Kontakte mit Gleichgesinnten, einschlägiger Fernsehsendungen und Internet wahrlich nicht. Wenngleich beide zu Dry Aged Beef noch nicht ganz so den Zugang gefunden haben. „Tomahawk, Flank und Flat Iron habe ich schon selbst gegrillt, Dry Aged Beef bisher nur gekostet, aber nicht selbst gegrillt", gesteht Markus, und Reinhard schlägt in dieselbe Kerbe. „Dry Aged find ich gut, aber es löst kein Verlangen nach mehr aus." Das muss auch nicht sein. Mit ihrem Mostbratl im Schweinsnetz und den aparten Beilagen setzen sie ohnehin eine geschmackliche Punktlandung. „Die Zutaten sind regional, ein Braten steht immer für Gemütlichkeit und Most spielt in Oberösterreich natürlich eine große Rolle."

OBERÖSTERREICHISCHES MOST-BRATL MIT KRAUTSALAT UND APFEL-BIRNEN-CHUTNEY

ZUBEREITUNG

1 Grill auf 180 °C einregeln. Schopfbraten mit ca. 2 EL Salz einsalzen. 6 Knoblauchzehen zerdrücken und mit etwas Salz, Pfeffer, Wacholderbeeren sowie Kümmel zu einer Paste vermengen. Das Suppengemüse rautenförmig schneiden, die Zwiebeln vierteln, Champignons putzen und zusammen mit den restlichen 2 angedrückten Knoblauchzehen in eine Bratenform geben.

2 Das Schweinsnetz ausbreiten, das Fleisch mit der Paste einreiben (siehe Tipp auf S. 115) und in das Netz einschlagen. Fleisch auf das Gemüsebett setzen und bei indirekter Hitze auf den Grill geben. Nach 15 Minuten mit jeweils etwas Suppe und Most übergießen, diesen Vorgang alle 30 Minuten wiederholen.

3 Nach 1 ½ Stunden Garzeit das Mostbratl mit Backpapier abdecken und fertig garen, bis eine Kerntemperatur von 75 °C erreicht ist. Fleisch herausheben, 15 Minuten rasten lassen, danach mit dem Gemüse, Kraut und Chutney anrichten.

---

weiterblättern
☞

ZUTATEN ①

1,5 kg Schopfbraten
4 EL Salz
8 Knoblauchzehen
1 EL Pfeffer
4—5 angedrückte Wacholderbeeren
1 EL Kümmel
2 Bd. Suppengemüse
2 kleine Zwiebeln
125 g kleine Champignons
1 Schweinsnetz
250 ml Rindsuppe oder –fond
500 ml Most

FÜR DEN KRAUTSALAT
1 Kopf Weißkraut mit ca. 1 kg
3 EL Salz
200 g Speckwürfel
4 EL weißer Balsamicoessig
5 EL Most
3—4 EL brauner Zucker
1 gestrichener EL ganzer Kümmel
1 EL Pfeffer
5 EL Sonnenblumenöl

**VERWENDETER GRILL
WEBER KUGELGRILL 57**

OBERÖSTERREICHISCHES MOSTBRATL MIT KRAUTSALAT UND APFEL-BIRNEN-CHUTNEY

4 Während das Mostbratl gegrillt wird, für den Krautsalat den Krautkopf in Viertel schneiden, Strunk entfernen und Kraut in ca. 5 mm dicke Streifen schneiden. Salzen und durch kräftiges Kneten „aufbrechen". Ca. 30 Minuten ziehen lassen, danach fest ausdrücken. Die Speckwürfel anrösten und in einer Schüssel beiseitestellen, das ausgelassene Fett für das Kraut aufheben

5 Das ausgedrückte Kraut in eine Grillpfanne geben und mit dem Fett etwas angrillen, mit Essig sowie Most ablöschen und weich dünsten. Sobald das Kraut weich ist, Zucker zugeben und karamellisieren lassen. Kümmel und Pfeffer mit dem Öl zu einer Marinade vermengen und über das Kraut träufeln. Zum Schluss die knusprigen Speckwürfel über das warme Kraut streuen.

6 Für das Chutney Äpfel sowie Birnen schälen und in 1–1,5 cm große Würfel schneiden. Zwiebeln würfelig schneiden. Speck in der Grillpfanne anrösten und auslassen, die krossen Speckwürfel entnehmen und die Zwiebeln im übrigen Fett glasig rösten. Mit Essig ablöschen, Apfelsaft zugießen und den Rosmarinzweig für etwa 10 Minuten mitkochen, dann wieder entfernen. Mischung mit Honig etwas einkochen, dann das Obst zugeben. Zucker darüberstreuen, mit Oberhitze etwas karamellisieren lassen, erst dann einrühren. Sobald das Chutney leicht eingedickt ist, den Speck zugeben und abschmecken.

ZUTATEN ②

FÜR DAS APFEL-BIRNEN-CHUTNEY
3 Äpfel
3 Birnen
2 kleine Zwiebeln
100 g Speckwürfel
5 EL Apfelessig
5 EL Apfelsaft
1 Zweig Rosmarin
10 EL Honig
3 EL brauner Zucker

**VERWENDETER GRILL
WEBER KUGELGRILL 57**

☞ **DER SPEZIELLE TIPP ZUM REZEPT**

Wenn das Mostbratl ganz besonders gut schmecken soll, dann tragen wir vor dem Einschlagen ins Netz noch eine Obstkruste auf. Dafür werden (nach Belieben leicht ge–dörrte) Äpfel und Birnen klein gehackt, in et–was Most gedünstet und eventuell auch noch gemixt. Die Masse auf den Braten auftragen und erst dann in das Netz einschlagen. Schmeckt einfach nur köstlich!

DOMINIK HAAS

ICH GRILLE AM LIEBSTEN AUF …

„Am liebsten grille ich auf dem Holzkohle-grill oder auf dem Smoker! Direktes und indirektes Grillen ist dabei so selbstver-ständlich wie das Amen im Gebet. Direktes Grillen für wunderbare Röstaromen und das Herbeizaubern von Grillmustern, mit der indirekten Methode das Gericht bis zur ge-wünschten Kerntemperatur finishen."

HOPPALA

„Ein Steak verbrutzeln zu lassen oder Fleisch zu roh zu servieren, passiert den besten Grill-meistern. Bei einem meiner ersten Steaks er-lebte ich allerdings noch eine andere Variante. Während des Grillens pfiff der Wind so heftig, dass die aufgewirbelte Asche mein Steak im Nu einem in Asche gereiften Asado-Steak ähneln ließ."

DER COOLE SMOKER UND SEIN BBQ

„Grillen bedeutet für mich die Freiheit des Kochens, das Spiel mit Röst- und Raucharomen ist einzigartig!" So einfach und klar bringt Dominik Haas seine Begeisterung fürs Garen über heißen Kohlen auf den Punkt.

„Grillen war für mich schon immer eine Leidenschaft. Zu Weihnachten 2016 bekam ich von meiner Lebensgefährtin Andrea einen Gutschein für ein Grillseminar bei Leo Gradl im Stillen Tal geschenkt. Leo und sein Können haben mich sofort mit dem unheilbaren Grillvirus infiziert!" Seither besucht der Maschinenbautechniker aus Saxen im Mühlviertel eifrig Grillseminare, holt sich Anregungen von Grillprofis aus der ganzen Welt und ist Mitglied eines privaten Grill-Teams, das regelmäßig an Grill-Wettbewerben teilnimmt.

MAKE PEOPLE HAPPY!

„Devils Taste BBQ" heißt sein Team. Ein Name, der bereits den Zugang der Burschen zum Thema klarstellt. „Make people happy, make them fat – das ist mein Motto! Ich liebe das amerikanische Barbecue, ganz besonders Beef Brisket vom Smoker. Mit den besten heimischen Produkten echt gutes Fast Food zu machen, das reizt mich enorm." Und das gelingt ihm auch bestens. Für seine oberösterreichische Variante des legendären Philly Cheese Steak Sandwich erntete er viele Lorbeeren, das Rezept verrät er in diesem Buch. „Bei dieser Zubereitung gibt es kein Richtig und kein Falsch, es ist so einfach wie es supergut schmeckt. Allein die Käsesauce ist ein Wahnsinn!"

SAFTIGES SPIDER-STEAK

Was der coole Typ mit seiner Vorliebe für alles Grafische – daher auch seine beeindruckende Vielfalt an Tatoos – an Ratschlägen für Grillneulinge bereithält? „Nun ja, ich würde raten, viele Grillkurse zu besuchen, sie heben das Bewusstsein für gute Qualität. Hände weg von vormariniertem Fleisch und generell auf die Grundprodukte achten. Der Star am Grill ist und bleibt das Lebensmittel. Ohne ein gutes Produkt kann der Grillmeister noch so perfekt sein, der Erfolg wird ausbleiben!" An eben diesen guten Produkten mangelt es in der näheren Umgebung von Dominik glücklicherweise nicht. „Für saftiges Spider-Steak, fettes Tomahawk-Steak oder fleischintensives Skirt-Steak habe ich einen Metzger bei mir ums Eck, der die Tiere von Bauern aus der Region bezieht. Da bekomme ich auch bestes Dry Aged Beef – das richtig zuzubereiten, gehört für mich ohnehin zu den Königsdisziplinen des Grillens."

MÜHLVIERTEL CHEESE-STEAK SANDWICH

ZUBEREITUNG

1 Für die Käsesauce Butter schmelzen, das Mehl einrühren und hell anschwitzen. Mit Milch aufgießen und unter ständigem Rühren mit dem Schneebesen kurz aufkochen, bis die Masse schön cremig wird. Geriebenen Käse einrühren und unter ständigem Rühren schmelzen lassen. Sollte die Sauce zu dick geraten, mit etwas Milch aufgießen. Mit Salz, Cayennepfeffer und etwas Knoblauchpulver würzig abschmecken.

2 Kugelgrill auf etwa 180–200 °C einregeln. Zwiebeln in Streifen, Knoblauchzehen feinblättrig schneiden. Eine Gusseisenpfanne mit etwas Öl auf direkter Hitze erhitzen und die Zwiebelstreifen darin glasig anschwitzen. Beiried in dünne Scheiben schneiden. Fleisch in die Pfanne legen und mit Salz, Pfeffer, Knoblauch, Kümmel, Paprikapulver sowie braunem Zucker würzen. Anbraten und unter wiederholtem Durchmengen grillen, bis das Fleisch gegart ist.

3 Inzwischen Mozarella würfelig schneiden. Über das Fleisch streuen und alles vermengen. Pfanne in die indirekte Zone schieben, Deckel aufsetzen und warten, bis der Käse geschmolzen ist. Währenddessen die Hot-Dog-Brötchen auf-, aber nicht ganz durchschneiden und kurz auf dem Grill antoasten. Fleisch hineinfüllen, Käsesauce darüber verteilen und mit roten Zwiebelwürfeln garnieren.

ZUTATEN

2 Zwiebeln
6 Knoblauchzehen
Öl
600 g Beiried von der Kalbin
Salz, Pfeffer
1 Msp. Kümmelpulver
etwas Paprikapulver
Prise brauner Zucker
100 g Mozzarella
4 Hot-Dog-Brötchen
(oder anderes Gebäck)
rote Zwiebelwürfel zum Garnieren

FÜR DIE KÄSESAUCE
40 g Butter
30 g Mehl
ca. 400 ml Milch
250 g geriebener Käse nach Wahl (z. B. Cheddar, würziger Bergkäse oder Gouda)
Salz
Cayennepfeffer
Knoblauchpulver

☞ DER SPEZIELLE TIPP ZUM REZEPT

Ich liebe alles, was scharf ist, daher gebe ich in die Sauce gern noch zwei Esslöffel kleingeschnittene Jalapeño-Chilis — fertig ist die wohl geilste Käsesauce, die es gibt!

**VERWENDETER GRILL
KUGELGRILL**

MARKUS SCHÖNBÖCK

ICH GRILLE AM LIEBSTEN AUF …

„Welches meiner vielen Grillgeräte ich am liebsten verwende, könnte ich gar nicht sagen. Mein ältestes Exemplar ist ein Kugelgrill, Saukist'n und Feuerplatte sind selbstgemacht, der Dutch Oven sowie der Oberhitzegrill sind für spezielle Gerichte unentbehrlich und das Dreibein mit einem 40-Liter-Kessel sowie die Peka haben wir aus Kroatien mitgebracht. Gasgrill brauche ich vorderhand keinen, aber ein ordentlicher Smoker wäre eine feine Sache — den schenke ich mir vielleicht im nächsten Jahr zum Geburtstag!"

HOPPALA

„Ich erinnere mich daran, wie ich meine selbstgemachte Feuerplatte das erste Mal ausprobierte. Ich nahm viel zu viel Brennholz und plötzlich gab es eine enorme Hitze und unglaublich viel Rauch. Die Flammen züngelten hoch hinauf und ich war extrem unter Stress. Einer der anwesenden Freunde — ein Feuerwehrmann — blieb aber völlig gelassen. Also beruhigte ich mich und während wir einen Spritzer tranken, fand der Spuk ein Ende."

DER DIE SAUKIST'N SELBER BAUT

„Das kann doch nicht alles gewesen sein", dachte sich Markus Schönböck vor einigen Jahren, als bei ihm kaum etwas anderes auf den Grillrost wanderte als Schofbratensteaks und Koteletts.

Die große Erleuchtung kam durch eine Einladung, bei der mächtige Fleischteile im Ganzen kunstvoll gegrillt wurden und einfach herrlich schmeckten. Seither hat ihn das Grillfieber gepackt. Er besucht Jahr für Jahr mehrere Grillkurse zu verschiedenen Themen, hat sich einschlägigen Facebook-Gruppen angeschlossen und stellt sogar manche seiner Grillgeräte selbst her. Zumindest soweit es ihm als gelerntem Tischler möglich ist. „Wenn Metall ins Spiel kommt, müssen meine Freunde aushelfen, wie etwa bei der selbstgebauten Saukist'n oder der Feuerplatte." Auch das eindrucksvolle Kirschholz-Brett (als Fachmann spricht Schönböck dabei von einem Pfosten), auf dem er seine Gerichte vorbereitet und präsentiert, hat er selbst gehobelt, geschliffen und die feinen Risse mit Epoxidharz aufgefüllt. Beeindruckend!

FLEISCH IST UNSER GEMÜSE

Wer soviel Begeisterung für die Grundausrüstung zeigt, darf diese auch bei den Grundprodukten nicht vermissen lassen. „Durch die intensive Beschäftigung mit dem Grillen bin ich auch beim Fleischeinkauf viel kritischer geworden. Noch gibt es in meiner Umgebung in St. Florian bei Linz einige Metzger meines Vertrauens, die mich mit ausgezeichneter Qualität versorgen. Auch Mühlviertler Speck steht bei mir immer auf der Einkaufsliste. Und nach einem Grillkurs bei Leo Gradl im Stillen Tal decke ich mich meist gleich bei ihm mit Dry-Aged-Spezialitäten ein." Um Gemüse wie Chili, Tomaten und Kräuter muss sich der Liebhaber von volkstümlicher Musik keine Sorgen machen, sie wachsen bei ihm vor der Haustüre. Mitunter bleiben sie auch ganz schön lange im Garten, denn als großer Freund vegetarischer Küche outet sich Markus nicht. „Fleisch ist unser Gemüse", meint er lachend zu diesem Thema.

MUT ZUR GLUT

Was allerdings nicht bedeutet, dass er bei Grillevents eintönig unterwegs wäre. Im Gegenteil. Wildpralinen im Speckmantel gehören ebenso zum Repertoire wie Flammlachs, Schichtfleisch, Roadkill Chicken oder die auf den folgenden Seiten vorgestellte mit Käse gefüllte Bacon Bomb. Und natürlich gibt's auch Gemüse zu alldem. Feines sogar, etwa Spitzpaprika aus Kroatien, der Heimat seiner Frau Camila, gefüllte Champignons oder Zucchini. Einen gut gemeinten Rat für Grillneulinge hat der Oberösterreicher auch noch parat. „Mut zur Glut! Das ist meine Empfehlung an all jene, die mit dem Grillen erst beginnen. Anfangs hat man oft Scheu vor dem Feuer. Doch im Normalfall kann nicht viel passieren, man muss das Feuer unter Kontrolle bringen, sich ihm annähern und dann hat man alles selbst in der Hand. Schlimmstenfalls gerät ein Stück Fleisch einmal etwas dunkler, das ist jedem von uns schon passiert."

BACON BOMB

ZUBEREITUNG

1 Grill auf 160–170 °C vorbereiten. Inzwischen ein Netz aus dem Speck herstellen. Dafür 6–8 Speckstreifen auf einem Bogen Backpapier nebeneinander auflegen. Dabei immer Platz (in der Breite eines Streifens) freilassen, Speckstreifen quer dazu legen und zu einem Netz flechten. Das Specknetz sollte am Ende, je nach Größe der Speckstreifen, ca. A4-Format besitzen.

2 Lauch in Ringe schneiden. Faschiertes in eine Schüssel geben, die Gewürzmischung sowie die Lauchringe dazugeben und alles gut durchmischen. Die Masse gleichmäßig stark auf das Specknetz auftragen und mit geriebenem Käse bestreuen. Die Käsestreifen in Schinken einrollen (dadurch fließt der geschmolzene Käse nicht direkt in die Fleischmasse!) und auf das vordere Drittel legen. Je nach Geschmack und gewünschter Schärfe mit fein gehackten Jalapeño-Chilis bestreuen. Alles wie für einen faschierten Braten einrollen und das Specknetz gut mit der Fleischmasse verbinden.

3 Die Bacon Bomb (am besten auf einem gewässerten Brett) indirekt bis zu einer Kerntemperatur von 60 °C grillen. Knapp vor Ende der Garzeit mit BBQ-Sauce einstreichen und noch einige Minuten fertig grillen. Die Garzeit beträgt ca. 1 ½–2 Stunden.

ZUTATEN

500 g geschnittener fetter Bauchspeck
1 kleiner Lauch
1 kg gemischtes Faschiertes
3 EL Trockenrub (Magic Dust)
200 g geriebener Käse
200 g in Streifen geschnittener Käse
100 g Schinkenscheiben
fein gehackte Jalapeño-Chilis nach Geschmack
BBQ-Sauce zum Glasieren

☞ **DER SPEZIELLE TIPP ZUM REZEPT**

Achten Sie beim Speck darauf, dass er keine Knorpel hat, die beim Essen störend wären. Dieses ohnehin schon köstliche Gericht lasse ich zum echten Hit werden, indem ich mit Blauschimmelkäse gefüllte Champignons und Bratkartoffeln dazu serviere. Besser geht nicht!

**VERWENDETER GRILL
WEBER KUGELGRILL**

☞ DER SPEZIELLE TIPP ZUM REZEPT

Beim Braten einer Gans ist es immer wichtig, die Temperatur am Anfang gering zu halten und erst später zu erhöhen. Sollten Sie ein Grill–gerät mit Drehspieß besitzen, rate ich, die Gans darauf zu braten. Das funktioniert genauso, die Bratenpfanne steht unten, damit es zu keinem Fettbrand kommt, allerdings wird die Hitze beim Drehen des Spießes gleichmäßiger verteilt und die Gans wird rundum schön gebräunt.

GEFÜLLTE WEIDEGANS MIT DÖRRMARILLEN-TOPFEN-FÜLLUNG

ZUBEREITUNG

1   Grill für indirektes Grillen bei 140 °C Hitze vorbereiten. Für die Füllmasse Dörrobst, Zwiebeln, Knoblauch, Chili und Kräuter getrennt fein hacken. Zwiebeln in Schmalz anschwitzen, Knoblauch, Chili und Kräuter kurz mitrösten. Eier und Topfen mit Salz und Muskatnuss glattrühren. Toastbrot in eine Schüssel geben. Zwiebelansatz und Dörrobst einmengen, mit der Ei-Topfen-Mischung übergießen. Vorsichtig durchmischen, damit das Brot seine Struktur behält und die Masse nicht zu matschig wird.

2   Gans außen salzen und pfeffern, innen mit Salz, Pfeffer, Majoran und Kümmel würzen. Mit der Masse füllen, Öffnung mit Küchengarn verschließen. Wurzelgemüse daumengroß schneiden, in eine Metallwanne oder Bratenpfanne geben. Wein und 500 ml Wasser zugießen, Lorbeer, Wacholder und Pfeffer einstreuen. Gans mit der Brust nach unten hineinsetzen. In den Grill stellen und indirekt 1 Stunde grillen.

3   Mit einer Gabel rund um die Haxerl und am Rücken anstechen, damit das Fett abfließen kann, 1 weitere Stunde grillen. Währenddessen, sobald der Rücken leicht gebräunt ist, mit dem ausgetretenen Fett bestreichen. Gans wenden, dabei ein Gitter unter die Gans in die Bratenpfanne legen, damit sie nicht mehr direkt im Bratenrückstand liegt. Mit der Brust nach oben wieder 1 Stunde grillen. Währenddessen ca. ein- bis zweimal mit dem Bratensaft einstreichen.

4   Nach 3 Stunden die Hitze auf 180 °C erhöhen und die Gans bräunen, dabei alle 10–15 Minuten bestreichen. Sobald beim Anstechen rasch nur noch klarer Saft austritt, ist die Gans fertig. Grill auf 240 °C aufheizen und die Haut kurz knusprig braten. Die gesamte Garzeit beträgt 3 ½–4 Stunden. Gans herausnehmen, verbleibenden Saft abgießen, Gemüse entfernen und Fett abschöpfen. Sauce kurz einkochen, Gemüse wieder zugeben und die Sauce mit gutem Rotwein abschmecken.

ZUTATEN

1 Mühlviertler Alm–Weidegans mit ca. 4 kg
Salz, Pfeffer
Majoran
Kümmelpulver
1 Karotte
1 gelbe Rübe
¼ Sellerieknolle
500 ml Weißwein
2—3 Lorbeerblätter
5—6 angedrückte Wacholderbeeren
1 EL Pfefferkörner
Rotwein für die Sauce

FÜR DIE FÜLLMASSE
50 g gedörrte Marillen
50 g gedörrte Äpfel
2 Zwiebeln
2 Knoblauchzehen
1 Chilischote
frischer Thymian
frischer Rosmarin
100 g Gänsefett oder Schmalz
3 Eier
150 g Topfen
Salz
Muskatnuss
300 g frische Toastbrotwürfel

**VERWENDETER GRILL
GASGRILL**

IM DUTCH OVEN GEGARTES RINDERRAGOUT MIT SCHAFKÄSE GRATINIERT

ZUBEREITUNG

1   Den Dutch Oven auf dem Grill auf mindestens 250 °C erhitzen und gute 10 Minuten unter voller Hitze heiß werden lassen.

2   Zwiebeln und Knoblauch fein hacken. Das Rindfleisch in etwa 2 cm große Würfel schneiden und mit Öl vermischen. Im heißen Dutch Oven kurz anrösten, wieder herausnehmen und auf einen Teller geben. Nun die Zwiebel- und Knoblauchwürfel im Bratrückstand kurz rösten, Tomatenmark zugeben und alles gut durchrösten. Mit der Hälfte des Rotweins ablöschen und die Flüssigkeit einkochen lassen, dabei wiederholt umrühren. Sobald der Bratensatz eingekocht ist, den restlichen Rotwein zugießen. Gemüsefond oder Rindsuppe eingießen, einmal aufkochen lassen und das Fleisch wieder zugeben. Den Dutch Oven abdecken, Grill schließen und das Ragout bei starker Hitze 15 Minuten köcheln lassen.

3   Dann den Grill öffnen, den Deckel entfernen und das Ragout kurz durchrühren, dabei überprüfen, ob noch genug Flüssigkeit vorhanden ist. Bei Bedarf etwas Wasser nachgießen und ungefähr weitere 20 Minuten weich garen. Sobald das Fleisch weich ist und die Konsistenz des Ragouts stimmt, den Dutch Oven an die Seite stellen. Nun die kalte Butter einrühren und den Saft montieren. Mit Salz und Pfeffer abschmecken.

4   Toastbrot entweder reiben oder sehr fein hacken, über das Ragout streuen, aber nicht mehr umrühren! Schafkäse darüber reiben, das Ragout in den Grill zurückstellen und bei geschlossenem Grill 2–3 Minuten überbacken. Das fertige Ragout herausnehmen und mit frischer Petersilie sowie Paprikawürfeln bestreuen.

ZUTATEN

4 Zwiebeln
2 Knoblauchzehen
600 g Rinderschulter
2 EL Rapsöl
1 EL Tomatenmark
200 ml Rotwein
1 l Gemüsefond oder Rindsuppe
100 g kalte Butter
Salz, Pfeffer
50 g Schafkäse
2 Scheiben Toastbrot
50 g gehackte Petersilie
Paprikawürfel zum Bestreuen

**VERWENDETER GRILL
DUTCH OVEN AUF
BELIEBIGEM GRILL**

GEFÜLLTE MELANZANI-RÖLLCHEN MIT CURRYLINSEN

ZUBEREITUNG

1 Melanzani in 4–5 mm dünne Scheiben schneiden, mit Salz sowie etwas Olivenöl einreiben und 10–15 Minuten ziehen lassen.

2 Grill auf 250 °C aufheizen und die Melanzanischeiben auf dem heißen Grill angrillen – dadurch erhalten sie die typische Grillmarkierung. Melanzani herunternehmen und auf einer Arbeitsfläche so auflegen, dass sich jeweils 2 Scheiben überlappen.

3 Nun die Schalotten in Spalten schneiden und in etwas Rapsöl anschwitzen, die Linsen zugeben, mit Kokosmilch ablöschen, mit Gemüsefond aufgießen und alles aufkochen. Currypulver einstreuen und die Mischung bei mittlerer Hitze ca. 10 Minuten köcheln lassen, bis die Linsen etwas weich werden und die Flüssigkeit eingekocht ist. Mit Salz und Pfeffer abschmecken.

4 Blattspinat putzen und auf die überkühlten Melanzanischeiben verteilen. Die Paprikaschote in feine Würfel schneiden, über den Blattspinat streuen und die Melanzani zu Röllchen einrollen. In eine gebutterte Keramikschüssel einschlichten, mit dem Linsencurrry-Ansatz übergießen und im heißen Grill bei 160–180 °C indirekt ca. 15 Minuten fertig grillen.

ZUTATEN

2 Melanzani
Salz
Olivenöl zum Einreiben
100 g Schalotten
Rapsöl zum Anschwitzen
100 g Belugalinsen
100 ml Kokosmilch
500 ml Gemüsefond
1 EL Currypulver
Pfeffer
100 g Blattspinat
1 rote Paprikaschote
Butter für die Form

**VERWENDETER GRILL
GAS- ODER HOLZKOHLEGRILL**

SEESAIBLING IM GANZEN

ZUBEREITUNG

1 Fisch waschen, von der Schleimhaut befreien und trocken tupfen. Innen und außen mit Salz und Pfeffer würzen. Thymianzweige in den Bauchraum geben, die Zitrone in Scheiben schneiden und diese dachziegelartig ebenfalls in den Bauchraum legen.

2 Holzkohlegrill auf ca. 200 °C einpendeln, einen großen Salzstein hineinlegen und ca. 10 Minuten erhitzen. Den gefüllten Saibling so auf den Salzstein setzen, dass die Bauchlappen links und rechts auseinandergeklappt werden und der Fisch nahezu steht. Einen Kerntemperaturfühler hinter den Fischkopf einführen.

3 Von den Paprikaschoten den Deckel entfernen, die Schoten putzen, die weißen Stege entfernen und die Deckel sowie die Reste fein hacken. In einer Pfanne das Olivenöl erhitzen, die Paprikareste kurz anschwitzen, den geschnittenen Lauch zugeben und alles kurz durchschwenken. Couscous zugeben und Limettensaft sowie Gemüsefond zugießen. An die Seite stellen und 6-8 Minuten kurz quellen lassen. Mit einem Löffel auflockern, den gezupften Thymian und Honig einrühren, salzen und pfeffern. Die Couscousmasse in die Paprika füllen und diese zum Fisch auf den Salzstein setzen. Deckel schließen und den Fisch auf eine Kerntemperatur von 56 °C grillen. Ist die Temperatur erreicht, den Salzstein herunternehmen und den Fisch abseits der Hitzequelle auf 62 °C nachziehen lassen.

4 Holzkohlegrill bei offenem Deckel auf 250 °C erhitzen und den Rost säubern. Haut des Saiblings entlang des Rückens einschneiden und von vorne nach hinten vorsichtig herunterziehen – das sollte ganz einfach gehen. Das Fett an der Innenseite der Haut mit einem Messer abschaben und die Haut innen mit feinem Salz bestreuen. Fischhaut mit einer Zange behutsam auf den heißen Grillrost legen und unter Beobachtung ca. 1-1 ½ Minuten knusprig grillen. (Achtung! Beim Grill bleiben, die Haut wird sehr schnell knusprig!)

5 Den Seesaibling filetieren und mit der knusprig gegrillten Haut anrichten. Die gefüllten Paprikaschoten halbieren und dazusetzen.

ZUTATEN

1 Seesaibling, ca. 1—1,5 kg
(in meinem Fall von
Eisvogel aus Molln)
Salz, Pfeffer
6—8 Thymianzweige
1 Zitrone
1 rote Paprikaschote
1 gelbe Paprikaschote
50 ml Olivenöl
100 g fein geschnittener Lauch
100 g Couscous
Saft von 1 Limette
250 ml Gemüsefond
etwas gezupfter Thymian
2 EL Honig

**VERWENDETER GRILL
HOLZKOHLEGRILL MIT SALZSTEIN**

☞ DER SPEZIELLE TIPP ZUM REZEPT

Besonders erfrischend
schmeckt dazu eine luftige
Kräuter-Joghurt-Sauce!

STEIERMARK

Würden mich meine Grill-aktivitäten nicht ohnehin so oft in die Steiermark führen, ich könnte unzählig viele Gründe nennen, das „Grüne Herz" Österreichs zu besuchen. Da sind einerseits die Reize von Landschaften wie dem Gesäuse, dem Mur- und Mürztal, dem Schilcherland, dem Thermen- und Vulkanland oder der Gegend rund um Piber, die auch als Heimat der Lipizzaner bekannt geworden ist. Da sind aber andererseits auch die Reize der Jahreszeiten, die die Steiermark so attraktiv machen. Das beginnt im Frühling mit der Narzissenblüte im Ausseerland oder der Apfel- und Birnenblüte in der Oststeiermark und setzt sich fort mit der Weinblüte und den vielen Wandermöglichkeiten im Sommer. Im Herbst sorgen Weinlese und die dazugehörigen Weinfeste vor allem auf der Südsteirischen Weinstraße für ausgebuchte Zimmer und in den Wintermonaten geht's auf zum „Schifoan". Planai, Hauser Kaibling, Kreischberg oder Tauplitz gelten als relativ schneesichere Ziele. Kaum zu glauben, dass die Steirer mitunter so grillfanatisch sind, dass ich bereits mehrmals eingeladen war, am Stuhleck, einem ebenfalls sehr beliebten Skigebiet in der Semmering-Region, im Winter zünftig aufzugrillen. Dass dabei der Spaß und die Hüttengaudi bei echtem Steirerkas, Wurzelspeck und Wildkas nicht zu kurz kamen, versteht sich von selbst.

STEIRISCHES GRILLEN

Wo sogar im Winter bei den Skihütten die Flammen lodern, geht's natürlich auch sonst sehr grillaffin zu. Das merke ich immer wieder bei den Ausflügen zu meinen steirischen Grillfreunden. Sepp Mosshammer ist einer davon. Er betreibt mitten im Herzen von Graz einen traditionsreichen Fleischhacker-Betrieb mit angeschlossener Grillschule. Für mich ist er ein gnadenloser Qualitäts-Fanatiker, der gekonnt höchste Qualitätsansprüche mit Traditionsbewusstsein (Stichwort Bratwurst-Sonntag am

1. Adventsonntag) unter einen Hut bringt. Profimäßig gegrillt wird auch auf der Schafalm in der Region Schladming-Dachstein. Dort findet im Zuge einer Charity-Veranstaltung ein gigantischer Weber-Kugelgrill-Contest statt, bei dem 350–400 Menschen gleichzeitig ein dreigängiges Menü zubereiten. Ein Bewerb, der mich jedes Mal wieder fasziniert. Ebenso höchst erfreulich verlief für mich im Vorjahr das „1. Puntigamer Grill- und BBQ- Festival" in Kaindorf bei Hartberg, bei dem unser steirisches Team den Titel „Grill-Staatsmeister" mit nach Hause nehmen durfte. Grillen auf steirischem Boden hat für mich also stets etwas ganz Besonderes an sich – und das liegt sicher auch an den ausgezeichneten Produkten, die das Land bietet.

WELTMEISTERLICHES FLEISCH

Wer grillt, braucht gutes Fleisch. Und das gibt's in der Steiermark zur Genüge. Styria Beef und das südoststeirische Woazschwein stellen die Grundversorgung sicher, Ennstaler oder Weizer Berglamm, Wild aus dem Gesäuse oder der Hochschwab-Region sowie ein prächtiges Sulmtaler Huhn reizen mich aber auch immer wieder. Mein „weltmeisterliches Brisket" habe ich übrigens dem Fleisch eines steirischen Almochsen zu verdanken. An der Gemüsefront stehen für mich natürlich die steirischen Käferbohnen, die mächtigen Kürbisse und der so richtig scharfe Kren, auch steirisches Penicillin genannt, an erster Stelle. Apropos erste Stelle: Bei einer meiner Touren durch die Steiermark durfte ich die beste Kernöl-Eierspeis meines Lebens verkosten, ich träume heute noch von diesem mit dem „Schwarzen Gold der Steiermark" verfeinerten Genuss. Dass steirische Winzer für ihre Spitzenweine auch über die Landesgrenzen geschätzt werden, ist ebenso bekannt wie die vielen großen und kleinen Brauereien, die das für uns Grillmeister so lebenswichtige Elixier in ihren Sudkesseln brauen. In manchem dieser Betriebe kann man den Produktionsprozess bei Führungen mitverfolgen. Ein Spaß, den man sich auch in der berühmten Schokolademanufaktur Zotter oder in der Destillerie Gölles (beide in Riegersburg) machen sollte. Mit dem Red Bull Ring sowie den zahlreichen Themenwanderwegen, wie etwa „Vom Gletscher zum Wein", ließe sich die Liste der Sehenswürdigkeiten noch endlos fortsetzen und da hätte ich noch nicht einmal die Landeshauptstadt Graz gestreift. Doch wir wollen jetzt unsere Grillmeister vorstellen, die uns in ihr Reich hinterm Gartenzaun einladen.

JÜRGEN FRITZ

ICH GRILLE AM LIEBSTEN AUF ...

„Ich besitze sehr viele Grillgeräte, aber am liebsten grille ich auf einem meiner vier Gasgrills. Ich benütze aber auch gerne tolle Geräte meiner Freunde, etwa das Big Green Egg meines Grill-Kumpels Jakob, auf dem wir sehr oft Pulled Pork, Pulled Beef, Pastrami und Pizza für die Kids zubereiten. Das Flammbrett kommt beim Lachs zum Einsatz und das gute, alte Lagerfeuer, wenn es ungarisches Kesselgulasch gibt."

HOPPALA

„Nach einem Grillevent bekam ich einmal von einem Pärchen ganz dickes Lob für mein Essen. Dabei fragte mich der Mann, wo bei meinem Grill denn die Kohle hinkäme. Als ich ihm erklärte, dass das ein Gasgrill sei, fiel er aus allen Wolken. Er erzählte mir, dass er bis jetzt alles auf einem Gasgrill Gegrillte verweigert hätte, weil er den Geschmack blind erkennen und nicht mögen würde. Daraufhin inspizierte er das Gerät ganz genau. Kurze Zeit später meldete er sich wieder und bat mich, ihn beim Kauf eines Gasgrills zu beraten — das Kotelett sei zu gut gewesen und ich hätte ihn davon überzeugt, dass er an ein Vorurteil geglaubt hätte!"

GRILLEN ZU WASSER UND AM LAND

Sein Hobby braucht Platz, sehr viel Platz sogar.

Wie alle in diesem Buch grillt Jürgen Fritz gerne, aber das ließe sich ja auch auf einem bescheidenen Standgrill bewerkstelligen. Doch Jürgen ist passionierter Sammler von Grillgeräten. Mehr als 15 Grills oder grillähnliche Geräte nennt er stolz sein Eigen, darunter neun Weber Grills, fünf Dutch Ovens, einen Otto Wilde O.F.B. und einige alte Weber Summits. Letzterer war übrigens unmittelbarer Anlass für seine Grillsucht. „Als Kind habe ich oft meinem Großvater beim Grillen auf einem selbstgemauerten Steingrill auf Holzkohle zugesehen. Später habe auch ich gerne gegrillt, aber ‚ganz normal'. Vor 15 Jahren bekam ich allerdings zum 30. Geburtstag meinen ersten Webergrill geschenkt, einen Silver Summit A Gasgrill mit 4 Brennern und Deckel. Er war damals einer der ersten Exemplare in Graz und eine echte Sensation – seither hat mich die Grillleidenschaft gepackt."

DER AUFTRAGS-GRILLER

Den Silver Summit der ersten Stunde gibt es immer noch. „Ich habe damit Tausende von Gästen verköstigt, denn es hat sich seit damals schnell herumgesprochen, dass es bei mir immer feine Grillereien gibt. Ich werde von Freunden oft gebeten, bei Festen aufzukochen. Ich habe bei minus 16 Grad bei Eisstock-Turnieren gegrillt und bei glühender Hitze für einige Dutzend Gäste zu runden Geburtstagen. Auch am Segelschiff bin immer ich der Schiffskoch." Segeln und Grillen scheint ja nicht zwingend zusammenzupassen, doch da der umtriebige Auftrags-Griller auch begeisterter Segler ist, wird diese Kombination für den Sommer wohl eine gelungene sein. Im Winter wartet mit Eishockey ein weiteres Hobby auf den überzeugten Single – und danach, erraten, Grillen im Schnee.

ASADO-LAMM

Was grillt einer, der nicht nur für große Gesellschaften aufgrillt, sondern auch für sich selbst mehrmals in der Woche auf seiner Terrasse den kleinen Go-Anywhere-Grill anwirft? „Gemüse, wie beispielsweise Zucchini, Kürbis, Paprika, Melanzani oder Fenchel, kommt bei mir eher als Beilage oder auf Wunsch der Gäste auf den Rost. Bei Fleisch grille ich am liebsten Rind, Schwein, Huhn, Pute, Lamm, Hirsch und Wild – in dieser Reihenfolge. Dabei versuche ich mich ständig an Neuem, habe keine Angst etwas auszuprobieren. Wie beispielsweise ein im Ganzen aufgespanntes Lamm auf Asado-Art über Feuer bzw. Kohle zu grillen oder einen ganzen 12-kg-Truthahn im Big Green Egg. Auch nicht so gängige Fleischstücke wie Onglet-Filet (auch bekannt als Nierenzapfen oder Hanging Tender) sind eine Herausforderung für mich." Die edlen Fleischteile sowie auch gleich das nötiges Know How dafür liefert praktischerweise Sepp Mosshammer (s. S. 135), ein Grazer Fleischer, der einschlägige Seminare zum Thema anbietet. Kein Wunder, dass die beiden mittlerweile dicke Grill-Buddies geworden sind.

GEFÜLLTE HÜHNERBRUST IM SPECKMANTEL MIT MEDITERRANEM RÖSTGEMÜSE VON DER PLANCHA

ZUBEREITUNG

1 Grill für indirektes Grillen vorbereiten. Hühnerbrüste mit einem scharfen Messer vorsichtig einschneiden und mit dem Finger zu einer Tasche erweitern. Salzen, pfeffern und mit dem Rub sowie nach Geschmack auch mit Knoblauch einreiben.

2 Blattspinat von dicken Stielen befreien, waschen und trockenschleudern. In einer Pfanne etwas Öl und Butter erhitzen und den Spinat darin dämpfen, bis er zusammenfällt. Mit Salz, Pfeffer und Muskatnuss würzen.

3 Spinat in ein Sieb geben, abtropfen bzw. trocknen lassen, auf einem Teller locker verteilen und auskühlen lassen. Inzwischen den Mozzarella in kleine Stückchen schneiden, mit dem Spinat vermengen und die Hühnerbrüste mit der Masse füllen. Die Öffnungen gut zusammendrücken und die Brüste mit den Speckscheiben fest umwickeln. Das Schweinsnetz flach auflegen, auf die jeweils passende Größe zuschneiden und jede Hühnerbrust mit dem Netz einmal umwickeln. Fleisch auf dem vorgeheizten Grill von allen Seiten direkt scharf anbraten und indirekt bis auf eine Kerntemperatur von 72–73 °C ziehen lassen.

---

weiterblättern
☞

ZUTATEN ①

4 Hühnerbrüste
Salz, Pfeffer
Hühnergewürzmischung (in meinem Fall Weber African Rub)
Knoblauch nach Geschmack
100 g Blattspinat
Öl und Butter
Muskatnuss
250 g Mozzarella
16 Speckscheiben
1 Schweinsnetz

**VERWENDETER GRILL
HOLZBEFEUERTE OFYR
STAHLPLATTE**

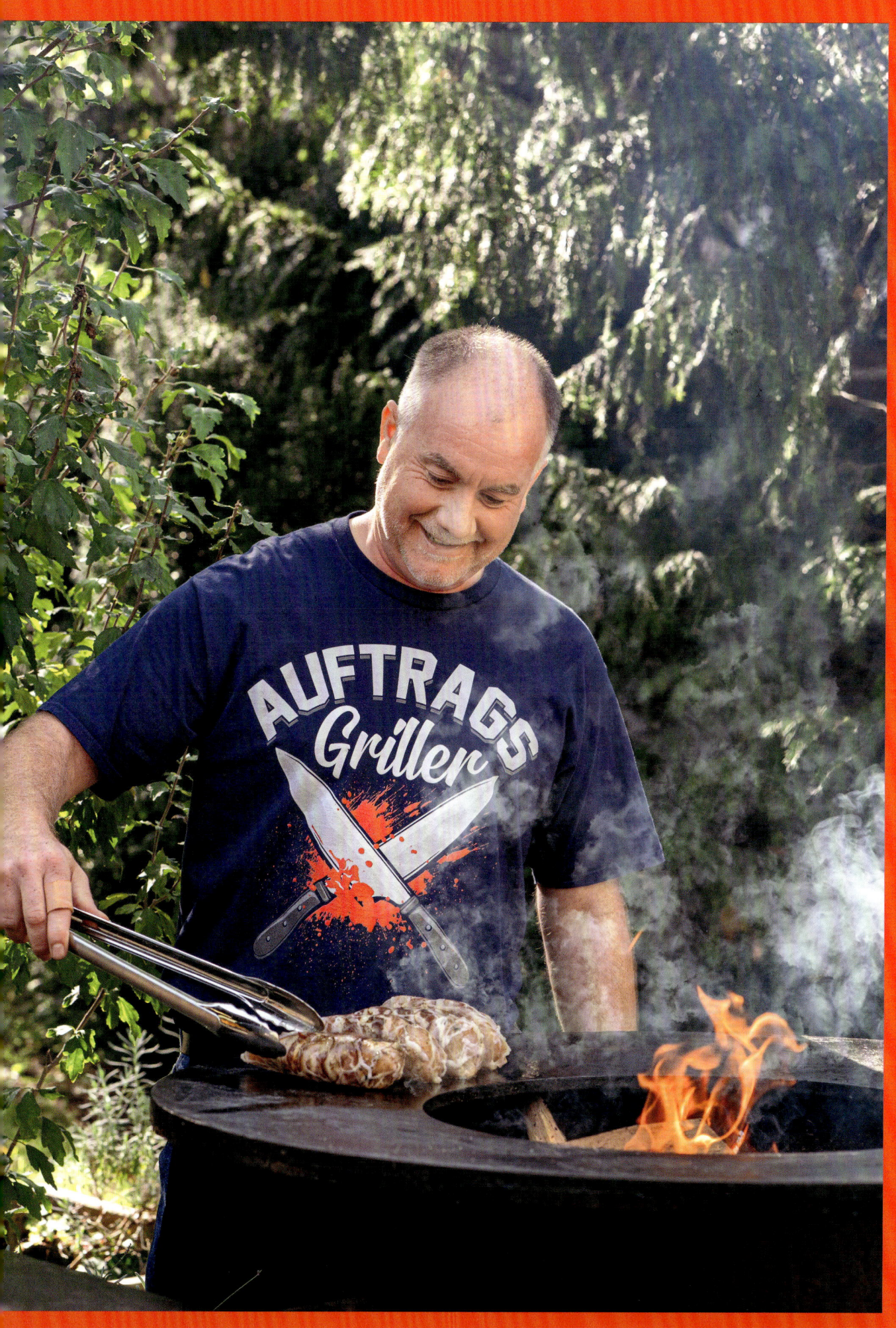

GEFÜLLTE HÜHNERBRUST IM SPECKMANTEL MIT MEDITERRANEM RÖSTGEMÜSE VON DER PLANCHA

4 Währenddessen das Gemüse – bis auf die Tomaten – putzen, in etwa 1,5 cm große Würfel bzw. Spalten schneiden und miteinander vermengen. Die Cocktailtomaten je nach Größe vierteln oder halbieren. Das Gemüse mit Ausnahme der Tomaten auf die vorgeheizte, sehr heiße Plancha geben, mit etwas Olivenöl beträufeln und unter ständigem Wenden 3–4 Minuten ordentlich anrösten. Erst jetzt die Cocktailtomaten untermengen. Mit Salz, Pfeffer, etwas Zitronensaft und -abrieb würzen. Gemüse mit einer Cloche (Glocke) abdecken, nur vorsichtig auf einer Seite anheben und das Gemüse mit Weißwein ablöschen (so entweicht nicht zu viel Dampf). Noch 1–2 Minuten unter der Cloche dämpfen lassen.

5 Die fertig gegrillte Hühnerbrust schräg aufschneiden und mit dem Gemüse anrichten. Dazu serviere ich gerne eine leichte Rieslingsauce.

ZUTATEN ②

FÜR DAS RÖSTGEMÜSE
1 Zucchini
100 g Champignons
je 1 rote und weiße Zwiebel
je 1 rote und gelbe Paprikaschote
100 g Cocktailtomaten
Olivenöl
Salz, Pfeffer
1 Zitrone
Schuss guter Weißwein

☞ **DER SPEZIELLE TIPP ZUM REZEPT**

Wenn Sie sich fragen, warum ich zusätzlich zum Speck auch noch ein Schweinsnetz zum Umwickeln verwende, so ist die Antwort recht einfach — die gefüllten Hühnerbrüste lassen sich dadurch besser tranchieren, ohne dass sie zerfallen. Übrigens habe ich die Erfahrung gemacht, dass dieses Gericht bei all jenen gut ankommt, die zur Abwechslung einmal etwas Leichtes vom Grill genießen möchten.

**VERWENDETER GRILL
HOLZBEFEUERTE OFYR
STAHLPLATTE**

SEPP MOSSHAMMER

ICH GRILLE AM LIEBSTEN AUF ...

„Wir haben alles probiert, von Kohle über Gas bis Elektro, von low & slow bis hot & fast. Aber am geselligsten ist es immer noch bei offenem Feuer. So ist bei uns mittlerweile der OFYR das absolute Zentrum gemütlicher Grillereien. Ob mit Spießen, auf der Platte oder im Dutch Oven, es ist immer wieder ein Highlight."

HOPPALA

„Für eine kleine Jause zwischendurch wollten wir schnell noch zwei Baguettes für ein Steak-Sandwich grillen. Vertieft ins Gespräch bemerkten wir, dass da etwas plötzlich sehr verbrannt roch. Kein Problem, zwei neue Baguettes kamen auf den Grill, das Gespräch ging weiter. Da roch schon wieder etwas verbrannt! Die letzten beiden Baguettes haben wir mehr oder weniger schweigend bewacht und — Ende gut, alles gut — aus Porterhouse, Rucola, St. Augur und Pinienkernen ein feines Steak-Sandwich gebastelt."

VON DER LIEBE ZU FLEISCH AUF HEISSEM ROST

Wenn der Begriff „eingefleischter Grillfanatiker"
bei jemandem wirklich angebracht ist, dann bei
Sepp Mosshammer.

Bei ihm darf man das Wörtchen „eingefleischt" nämlich nicht nur im übertragenen, sondern durchaus auch im wörtlichen Sinne verstehen. Freilich ist der sympathische Prototyp eines engagierten Metzgers ein mehr als begeisterter Anhänger sämtlicher Grillereien, doch zu allererst ist er eben Fleischer. Und einer der besten, der weit über den steirischen Raum hinaus bekannt ist. Sein Geschäft in Graz ist Anlaufadresse für alle, die gerne gutes Fleisch oder Feines aus seiner eigenen Wurst- und Selchkuchl genießen. Unter Grillfreunden wird seine Telefonnummer als Tipp für besondere Cuts sowie speziell gereiftes Beef gehandelt, die Liste seiner Kunden ist entsprechend lang und illuster.

KULTFIGUR DER GRILLSZENE

Es war eben diese treue Klientel mit ihren speziellen Wünschen, die den Fleischhauermeister neugierig auf hochwertiges Grillen machte und ihn ein AMA-Grilltrainer-Seminar besuchen ließ. „Dort gab es den Austausch mit Adi Bittermann, Martin Schneider und Tom Wieser. Das war für mich der Stein des Anstoßes, damals ist das Grillvirus auf mich übergesprungen und hat mich seither nicht mehr losgelassen." Mittlerweile hält Mosshammer – mit tatkräftiger Unterstützung seiner Frau Brigitte – selbst Seminare und gilt in der Grillszene als Kultfigur. „Fleisch ist unsere Leidenschaft, es gibt kaum ein mannigfaltigeres Lebensmittel. Zuschnitte sind das eine, aber viel faszinierender finde ich die Veränderungen des Fleisches im Zuge der Reifung. Die chemischen und physikalischen Vorgänge bei der

Reifung und Zubereitung – das ist mein eigentliches Steckenpferd." Kein Wunder, dass seine Grillkurse stets ausgebucht sind und er sich besonders über „Wiederholungstäter" freut, die bei ihm immer und immer wieder Neues erfahren wollen.

KEEP IT SIMPLE!

Dass einer aus der Fleischerzunft bei der Auswahl seiner Grill-Gustostückerl aus dem Vollen schöpfen kann, ist klar. Aber wie ist das mit seinen Grillgeräten, gibt es auch hier diese Fülle? Allein die Auflistung seiner wichtigsten Favoriten würde den Rahmen dieses Buches sprengen, enthält sie doch alles, was sich ein Grillfreund nur erträumen kann. Von diversen Gasgrills über Pellet-, Keramik- oder Holzkohlegrills bis hin zu Feuerplatten, Elektrogrills, Smokern und vielem mehr. Da klingt seine Empfehlung an Grillanfänger doch erstaunlich bescheiden: „Keep it simple! Es ist wichtiger, Zeit für seine Familie und Freunde zu haben als ein Fünf-Gänge-Menü mit allen Raffinessen herbeizaubern zu wollen und dabei nur gestresst zu sein. Einfach ein großes Stück Fleisch auf den Grill legen und indirekt fertig werden lassen ..." Ebenso erstaunlich, dass Sepp Mosshammer, der in seiner kargen Freizeit seinem Hobby, der Modellfliegerei, nachgeht, auch vegetarischen Genüssen durchaus offen gegenübersteht. „Vegetarisch grillen? Ich versteh' die Frage nicht. Nein, Spaß beiseite, es gibt unglaublich viele Möglichkeiten fantastisch vegetarisch oder vegan zu grillen, auch jenseits von gegrillten Zucchinischeiben ..."

„HIMMEL UND ERDE" STYLE BY MOSSHAMMER

ZUBEREITUNG

1. Eine Feuer- oder Grillplatte erhitzen, leicht mit Öl bestreichen und die Erdäpfel- und Blunzenscheiben auflegen. Alles knusprig grillen.

2. Für das Apfel-Chili-Mousse die Äpfel schälen, entkernen und in kleine Würfel schneiden. Mit Apfelsaft weich dünsten. Mit frisch gehacktem Chili sowie Honig aufmixen und eventuell nochmals kurz einkochen lassen, damit das Apfelmousse schön dick gerät.

3. Je eine knusprig gegrillte Blunzenscheibe auf eine Erdäpfelscheibe setzen, etwas Apfel-Chili-Mousse daraufsetzen und mit frisch geriebenem Kren und Schnittlauch garnieren. Als Fingerfood servieren.

ZUTATEN

Öl
20 große, fingerstarke Erdäpfelscheiben
20 daumenstarke Scheiben Hausmacherblunzen
frisch geriebener steirischer Kren
Schnittlauch zum Garnieren

FÜR DAS APFEL-CHILI-MOUSSE
2 steirische säuerliche Äpfel
250 ml naturtrüber Apfelsaft
1 Messerspitze frisch gehackter Chili
2 EL Honig

**VERWENDETER GRILL
FEUER- ODER GRILLPLATTE**

DOMINIK REITERER

ICH GRILLE AM LIEBSTEN AUF ...

„Wenn es bei spontanen Besuchen schnell gehen muss, dann bevorzuge ich den Gasgrill. Im Übrigen stehen bei mir Kohlegrill und Watersmoker gleich hoch im Kurs und werden auch gleich viel verwendet."

HOPPALA

„Dass hin und wieder einmal etwas schiefgeht, das gehört einfach zum Grillen dazu, auch wenn ich mich jedes Mal aufs Neue darüber ärgere. Doch einmal passierte mir etwas ganz Spezielles. Ich hatte Freunde eingeladen, alles lief bestens und ein wunderschönes fix und fertig gegrilltes Porterhousesteak lag neben dem Grill, um ein wenig rasten zu können. Einen kurzen Augenblick hatte ich nicht aufgepasst und gerade in diesem Moment kam mein Hund, schnappte sich das Steak und lief davon!"

ALLES ANDERE ALS EIN ALLEIN-GRILLER

Wohl dem, der einen solchen Papa hat! „Die Begeisterung fürs Grillen hatte ich schon als kleiner Bub.

Bei uns stand am Sonntag aber nicht mein Papa am Grill, sondern ich – und er hatte ein Auge auf mich", ist Dominik Reiterer seinem Vater noch heute dankbar. „Mit 18 Jahren fing ich an, mich intensiver fürs Grillen zu interessieren. Zu meinem 21. Geburtstag bekam ich einen Gutschein für den Besuch eines Grillkurses geschenkt und von da an war meine Grillleidenschaft nicht mehr zu bändigen. Keine Grenzen gesetzt zu bekommen und immer wieder Neues auszuprobieren, das ist für mich persönlich die Faszination des Grillens." Eine Faszination, die Reiterers Partnerin Denise zum Glück teilt. Gegrillt wird freilich vom Grillmeister höchstpersönlich, aber bei den Vorbereitungen und beim Abwaschen ist er dankbar für jede Unterstützung – nach dem Motto „gemeinsam statt einsam".

GRILLEN MIT GIN

Als begeisterter Fußballfan ist Dominik generell ein Gemeinschaftsmensch. „Allein grillen? Das geht nicht. Für mich gehören beim Grillen Sozialkontakte genauso dazu wie Fleisch, Salat, Beilagen und kühle Getränke." Apropos Getränke: Wer hauptberuflich als Bierführer tätig ist, bei dem sollte man annehmen, dass auch während des Grillens der Gerstensaft in Strömen fließt. Das ist bei vergnüglichen Grillabenden natürlich auch der Fall, doch daneben trinkt der Mann mit dem feinen Gaumen aber auch gern das ein oder andere Glas Wein – und Gin. „Ich liebe Gin und

gare sogar Kartoffeln über Gin-Wasserdampf. Man sollte sie nur gleich nach dem Dämpfen genießen und keinesfalls nochmals anbraten, denn dann verlieren sie ihr herrliches Aroma."

DIREKTVERSORGER

Wenn es um Genuss und Geschmack geht, ist Dominik also ganz schön anspruchsvoll, auch an sich selbst. „Ich möchte wissen, wo meine Lebensmittel herkommen, und bin daher Direktversorger. Kartoffeln kaufe ich beispielsweise bei einem befreundeten Bauern, Brot und Burger-Buns backe ich selbst und 95 % meines Fleischbedarfes beziehe ich von Sepp Mosshammer, einem großartigen Fleischhauer. Er bietet mir immer wieder neue Cuts an, hat mich mit Besonderheiten wie Teres Major, Flat Iron, Hanging Tender und natürlich Dry Aged Beef bekannt gemacht. Ich kann ihm völlig vertrauen." Wie wichtig gute Qualität ist, stellt der Besitzer von zwei Katzen und einem Hund auch beim Austausch mit seinen Grillfreunden und bei der Suche nach neuen Rezepten fest. „Wir diskutieren gerne über neue Techniken und ich lese viel übers Grillen, da kommt mir schnell eine Idee in den Kopf." Nur das mit dem rein vegetarisch Grillen, das will Dominik Reiterer nicht so recht in den Sinn. „Gemüse muss bei mir nicht unbedingt sein, ich bin ein echter Fleischtiger!" Wie gut, dass es den Mosshammer gibt!

Bei diesem Gericht muss man zwar ständig beim Grill stehen bleiben und achtgeben, dass das Fleisch nicht anbrennt, aber die Mühe lohnt sich. Für Kinder oder zart– besaitete Gaumen sollte man weniger Par– mesan verwenden, damit der Geschmack nicht zu intensiv wird.

SCHWEINSFILET IN DER PARMESANKRUSTE

ZUBEREITUNG

1. Zuerst den Grill mit Churrasco-Aufsatz vorbereiten (oder einen langen Spieß, den man am Rand auflegen kann). Dafür den Anzündkamin zu drei Viertel mit Briketts durchglühen lassen. Inzwischen Parmesan mit Kräutern und Rub vermengen. Sind die Kohlen schön durchgeglüht, in die Kohlenkörbe kippen oder rechts und links an die Seite des Grills schieben.

2. Schweinsfilet mittig auf den Churrasco-Spieß aufspießen und rundum mit etwas Parmesan-Rub bestreuen, dabei am besten eine Schüssel unterstellen, damit der herabfallende Rub wieder genutzt werden kann. Den Parmesan-Rub nur leicht auftragen und nicht fest andrücken.

3. Spieß in die Mitte des Churrasco-Sets (oder einfach auf den Rand) legen und das Filet grillen. Währenddessen den Spieß immer wieder drehen, damit nichts anbrennt. Sobald der Käse beginnt, ganz leicht warm zu werden, vorsichtig immer wieder ein bisschen Parmesan-Rub auf das Fleisch streuen, er bleibt dank des angeschmolzenen Parmesans am Fleisch haften. So weiter verfahren, bis kein Parmesan-Rub mehr vorhanden ist. Hat das Fleisch eine Kerntemperatur von 65–68 °C erreicht, vom Grill nehmen, kurz ruhen lassen und genießen. Ich serviere gern Kartoffelstampf dazu.

ZUTATEN

1 Schweinsfilet mit ca. 500 g
250 g sehr fein geriebener, frischer Parmesan
2—3 EL Kräutermischung nach Geschmack
2—3 EL Schokolade– oder Kaffee-Rub (Don Marco's King Cacao, Ankerkraut Coffee Cannonball oder selber mischen)
1 Churrasco-Spieß

**VERWENDETER GRILL
57ER WEBER KUGELGRILL
MIT CHURRASCO-AUFSATZ
VON MOESTA-BBQ**

BACON CANDY CHICKEN BITES

VORBEREITUNG

1 Holzspießchen in Wasser einlegen und 1–2 Stunden wässern.

ZUBEREITUNG

2 Hühnerbrüste in so kleine Stücke schneiden, dass man sie später gut mit einer halben Scheibe Speck umwickeln kann. In eine Schüssel geben und mit der Gewürzmischung gut durchmischen. Speckscheiben halbieren, die gewürzten Hühnerstücke damit umwickeln und mit den gewässerten Holzspießchen fixieren. Kräftig in Zucker wälzen.

3 Kugelgrill mit eingelegter Deflektorscheibe (oder einfach für indirektes Grillen vorbereiten) auf eine Temperatur von 180 °C einregeln, dabei die Deflektorscheibe mit Backpapier vor dem herabtropfenden Zucker schützen. Für ein mildes Raucharoma 1–2 Woodchunks nach Wahl in die Glut geben.

4 Bacon Candy Chicken Bites auf den Grillrost geben und für rund 40 Minuten bei 180 °C in der indirekten Zone garen. Fertig gegrilltes Fleisch vorsichtig mit einer Grillzange vom Grill nehmen - Achtung, sehr heiß! - und etwas auskühlen lassen.

ZUTATEN

2 Hühnerfilets (–brüste)
2 ½ EL Gewürzmischung nach Belieben (z. B. O.F.A.)
120 g Baconscheiben
5 EL Rohr– oder brauner Zucker
1—2 Woodchunks nach Wahl
Holzspießchen

**VERWENDETER GRILL
WEBER KUGELGRILL**

☞ **DER SPEZIELLE TIPP ZUM REZEPT**

Diese Happen sind bei mir ein echter Hit:
Der Bacon wird beim Grillen so richtig
knusprig und bekommt eine goldbraune
Farbe, das Fleisch bleibt im Kern saftig
und aromatisch. Dazu reiche ich gerne
BBQ-Saucen als Dip.

MILCHKALBSRÜCKEN MIT KNUSPRIGEM ERDÄPFELSALAT

ZUBEREITUNG

1 Grill auf 250 °C vorbereiten. Eine Pfanne erhitzen und die gehackten Schalotten in heißer Butter leicht anschwitzen. Die gehackten Kapern zugeben, mit Petersilie, Zitronensaft, Salz und Pfeffer abschmecken und zur Seite stellen.

2 Milchkalbsrücken in 4 gleich große Steaks schneiden, salzen und am vorgeheizten Grill bei 250 °C pro Seite 2 Minuten grillen. Hitze auf 150–160 °C reduzieren. Kapernmasse auf den Steaks verteilen, abgeriebene Zitronenschale darüberstreuen und die Steaks indirekt auf eine Kerntemperatur von 58 °C ziehen lassen.

3 Für den Erdäpfelsalat die Erdäpfel in 5-6 mm dicke Scheiben schneiden und auf dem heißen Grill bei 200–220 °C so lange grillen (ca. 10 Minuten), bis sie sich aufblähen. Währenddessen die roten Zwiebeln in Ringe oder Streifen schneiden. Eine Gusseisenpfanne erhitzen, etwas Rapsöl darin erhitzen und die Zwiebeln anschwitzen. Paradeiser halbieren, zugeben und kurz durchschwitzen. Aus Balsamicoessig, Öl, Salz, Pfeffer, Honig und Senf eine Marinade anrühren. Über die angeschwitzten Paradeiser gießen, einmal kurz mischen und die knusprigen Erdäpfelscheiben sowie den Blattspinat zugeben. Nur kurz einmal durchschwenken, damit die Erdäpfel knusprig bleiben. Herausnehmen, anrichten und die fertig gegrillten Kalbsrückensteaks dazusetzen.

ZUTATEN

4 fein gehackte Schalotten
100 g Butter
1 EL gehackte Kapern
100 g fein gehackte Petersilie
Saft und Schale von 1 Zitrone
Salz, Pfeffer
1 kg Milchkalbsrücken

FÜR DEN ERDÄPFELSALAT
200 g feste, kleine Erdäpfel
2 rote Zwiebeln
Rapsöl zum Braten
100 g Cocktailtomaten
50 ml Balsamicoessig
2 EL Öl
Salz, Pfeffer
1 EL Honig
2 EL Senf
100 g Blattspinat

VERWENDETER GRILL
ELEKTROGRILL PULSE 2000

IN ROHSCHINKEN GEGRILLTER WALLER MIT PARADEISERSALAT

ZUBEREITUNG

1 Wallerfilet mit Salz und Pfeffer würzen, in 4 gleich große Stücke schneiden und kurz ziehen lassen. Dann jedes Wallerstück mit 5 Scheiben Rohschinken umwickeln. Grill auf 220 °C aufheizen, Wallerstücke auf beiden Seiten kurz scharf angrillen. In die indirekte Zone geben und etwa 5 Minuten indirekt garen. Währenddessen eine Gusseisenpfanne in den heißen Grill stellen und den Deckel schließen.

2 Inzwischen die Paradeiser halbieren und die Jungzwiebeln fein schneiden. Deckel öffnen, die halbierten Paradeiser in der heißen Pfanne kurz anschwitzen, Jungzwiebeln zugeben, mit Zitronensaft beträufeln, Zitronenzesten sowie Honig einmengen und die Paradeiser mit Salz und Pfeffer würzen. Alles kurz durchmischen und nur kurz warm werden lassen, die Paradeiser sollen nicht zerkochen!

3 Fisch von der indirekten Zone nehmen und auf die Paradeiser setzen, den Deckel schließen und den Fisch noch 2–3 Minuten ziehen lassen. Auf vorgewärmten Tellern anrichten und mit frischem Basilikum garnieren.

ZUTATEN

1 weißfleischiges Wallerfilet mit ca. 600 g
Salz, Pfeffer
20 hauchdünne Scheiben Rohschinken
1 kg Cocktailtomaten
200 g Jungzwiebeln
Saft und Zesten von 1 Zitrone
2 EL Honig
50 g frisches Basilikum

VERWENDETER GRILL
HOLZKOHLE- ODER GASGRILL

IN DER GLUT GEGRILLTE SÜSSERDÄPFEL MIT SCHAFKÄSE UND HONIG

ZUBEREITUNG

1   Glut vorbereiten. Kerntemperaturfühler in die Mitte eines Süßerdapfels stecken, die Süßerdäpfel in die heiße Glut einlegen und etwa 20–25 Minuten auf eine Kerntemperatur von 68 °C grillen, dabei nach ca. 10 Minuten einmal wenden.

2   Süßerdäpfel aus der Glut nehmen und leicht überkühlen lassen. Inzwischen die Zwiebeln fein hacken und mit Schnittlauch, Limettensaft sowie -schale, Salz, Pfeffer, Chili und Honig vermischen. Schafkäse in Würfel schneiden, unter die Masse mengen und kurz ziehen lassen.

3   Süßerdäpfel halbieren, Fruchtfleisch mit einem Löffel oder Messer herausnehmen. Den marinierten Schafkäse auf Teller verteilen, die noch warmen Süßerdäpfel darauf anrichten und mit Salz sowie Pfeffer würzen, nach Belieben noch mit Honig beträufeln.

ZUTATEN

4 Süßerdäpfel
2 rote Zwiebeln
50 g fein geschnittener Schnittlauch
Saft und Schale von 1 Limette oder Zitrone
Salz, Pfeffer
1 Messerspitze frischer, fein gehackter Chili
ca. 4 EL Honig
200 g fester Schafkäse (Schnittkäse)

**VERWENDETER GRILL
GLÜHENDE KOHLEN IN EINER BELIEBIGEN FEUERSTELLE BZW. GRILL**

KÄRNTEN

Sehe ich in meinem Terminkalender Grillevents in Kärnten stehen, kommt bei mir Vorfreude auf. Das sanft mediterrane Flair des südlichsten Bundeslandes Österreichs und die herzliche Gastfreundschaft der Menschen dort lassen für mich berufliche Aufenthalte stets zum Vergnügen werden. Kurz gesagt, ruft man mich zum Grillen nach Kärnten, so komme ich ausgesprochen gern. Etwa zum E-Bike-Event „E-Motion", das regelmäßig an Kärntens tiefstem See, dem Millstätter See, stattfindet. Das jährliche „Harley-Davidson-Treffen" lockt mich wiederum an den Faaker See, wo ich im Schatten des mächtigen Mittagskogel grillen darf.

Apropos Seen: Kärnten ist berühmt für seine mehr als 200 Badeseen. Bin ich in der Gegend von Klagenfurt, der Landeshauptstadt, lege ich gern mit dem Motorboot eine kurze Rundfahrt auf dem Wörthersee ein. Da kann man nicht nur herrlich schwimmen, sondern auch die eindrucksvolle Architektur der alten Seevillen bewundern. Wenn es meine Zeit zulässt, nütze ich, je nach Jahreszeit, auch eine der zahllosen Möglichkeiten inmitten der Natur zu radeln, zu wandern oder – frei nach Franz Klammer, dem Kärntner Volkshelden – Ski zu fahren. Gelegenheiten dafür gibt es dank Gerlitzen, Nassfeld, Bad Kleinkirchheim oder Mölltaler Gletscher mehr als genug. Auch der Großglockner steht teilweise auf Kärntner Boden.

NACHHALTIG DENKEN

Als Vorzeige-Tourismusregion hat Kärnten schon recht früh erkannt, wie wichtig nachhaltiges Handeln in allen Bereichen ist. Von Italien ausgehend hat hier etwa der Slow-Food-Gedanke sehr bald Fuß fassen können. Die weltweit erste „Slow Food Travel Destination" rund um Lesach-, Gail- und Gitschtal sowie den Weißensee und sieben sogenannte „Slow Food Villages" verkünden quer durch Kärnten die Philosophie des achtsamen Genusses. Zahlreiche, auch prominente, Köche fühlen sich diesem Bekenntnis ebenso verpflichtet wie Lebensmittelproduzenten. Auch die Idee der Alpe-Adria-Küche mit ihrer Verbundenheit zu italienischen und slowenischen Gerichten schlägt sich in Kärntens Gastronomie für mich sehr, sehr g'schmackig nieder. Kärnten kann auf jeden Fall stolz auf seine heimischen Produkte sein. Wenn es ums Fleisch zum Grillen geht, so bietet „Kärntner Fleisch" als Vermittler zwischen Bauern und Endverbraucher eine optimale Quelle für Rind-, Schweine-, Kalb- oder Lammfleisch. Besonders beliebt ist bei Grillmeistern das Kärntner Blondvieh mit hohem Anteil an intermuskulärem Fleisch, das Kärntner Almrind, das Mölltaler Glocknerlamm und Wild aus den dichten Wäldern, wo auch die begehrten Schwammerl wachsen. Fischliebhaber werden sich – neben allen gängigen Speisefischen – vor allem über den „Kärntna Låxn" freuen, eine Seeforelle, die als besondere Delikatesse gilt.

LEI LOSN!

Nicht Fisch, nicht Fleisch ist eine weitere Kärntner Spezialität: der Hadn. Es geht dabei um eine alte Buchweizensorte, die vor allem in der Gegend rund um das Jauntal ein Comeback feiert und zum Kulinarischen Erbe Österreichs zählt. Hadnsterz, Hadnnudeln, Hadntorte, sogar Hadnbier und -likör habe ich gekostet. Nicht ganz so bekannt ist vielleicht, dass in Kärnten auch recht erfolgreich Wein angebaut wird. Taggenbrunn und das Lavanttal haben sich diesbezüglich einen besonderen Namen gemacht. Ich kann Kärnten aber nicht verlassen, ohne zumindest einmal Kasnudeln gegessen zu haben. Ich liebe sie ebenso wie Ritschert, einen sogar für mich recht deftigen Eintopf aus Bohnen, Rollgerste und Geselchtem. Mit Stockplattln, einem sündhaft guten Turm aus Germkrapfen, und dem legendären Reindling sollte jeder Hunger auf Süßes gestillt sein. Obwohl gesüßt, wird der Reindling übrigens zu Ostern mit Schinken und Kren serviert. Für nichtgeübte Gaumen sicher überraschend, aber wie sagt doch ein Kärntner Sprichwort? „Lei losn!" Also lassen wir den Kärntnern diese liebgewordene Tradition und freuen wir uns auf die feinen Grillrezepte.

WOLFGANG BEFURT

ICH GRILLE AM LIEBSTEN AUF ...

„Begonnen habe ich meine Grillkarriere mit
einem Kugelgrill, mittlerweile besitze ich
fünf Grillgeräte. Ob ich Smoker, Gas- oder
Kohlegrill bevorzuge, hängt davon ab, was
gegrillt wird. Echte Vorlieben kenne ich
daher nicht!"

GRILLSPASS UND ZUFRIEDENE GÄSTE

Sein früheres Berufsleben hat Wolfgang Befurt ein kulinarisches Spannungsfeld zwischen Job und Freizeit verschafft, wie man es sich größer wohl kaum vor-stellen kann.

Während er unter der Woche als Franchise-nehmer in Österreichs größter Burger-Kette äußerst erfolgreich dafür sorgte, dass immer mehr Burger in kurzer Zeit über die Theke wanderten, setzte er an den Wochenenden mit gemütlichen Grillereien einen bewussten Gegenakzent. „Ich grille seit meinem 18. Lebensjahr sehr gerne, das entspannt mich und macht mir großen Spaß! Es gibt ja eigentlich fast nichts, was man nicht grill-len kann, das Ergebnis ist fast immer positiv und meine Gäste sind entsprechend zufrieden. Mir sind freundschaftliche Kontakte sehr wichtig und die gibt es gerade beim Grillen sehr viel." Ein idealer Ausgleich zu einem stressigen Berufsle-ben also, das mittlerweile dem etwas beschauli-cheren Ruhestand gewichen ist.

VEGGIE-GRILLEREIEN

Aus Salzburg stammend hat es den zwei-fachen Vater berufsbedingt ins kärntnerische Wolfsberg verschlagen. Dort ist Wolfgang geblie-ben. Gerne sogar, denn die herrliche Landschaft rund um das Lavanttal bietet dem begeisterten Grillmeister ideale Bedingungen für ein weite-res Hobby, das Segeln. Doch uns interessiert vor allem, was denn so ein Ex-Topmanager alles auf seinem Grill zubereitet. Und das scheint seinem Naturell entsprechend sehr kreativ und weitge-

steckt zu sein. „Von Rind über Lamm und Huhn bis hin zu Wild und Fisch steht bei mir alles auf dem Speiseplan. Da sich meine Tochter Victoria vegetarisch ernährt, steht bei mir Gemüse nicht nur als Beilage, sondern in sehr unterschiedli-chen Spielarten oft auch als Hauptgericht auf dem Programm. Vor allem Käse und Kartoffeln dürfen bei diesen Veggie-Grillereien nicht fehlen."

KÄRNTNER QUALITÄT

Wolfgangs Zugang zum Einkauf ist sehr be-wusst. „Ich versuche möglichst viel regional zu kaufen. Fleisch, Gemüse, wie etwa Kartoffeln und Spargel, besorge ich auf dem Bauernmarkt oder direkt bei den Produzenten, sogar fangfri-sche Kaiserforellen gibt's bei mir in der Nähe. Die hole ich von einem sehr guten Fischzüchter und weiß, dass ich mich auf die Qualität verlas-sen kann", spricht Wolfgang ein Anliegen an, das ihm so wichtig ist, dass er es uns als Tipp für alle Grill-Neulinge mit auf den Weg geben möchte. „Ob bei Fisch, Fleisch oder Gemüse – achtet bit-te auf gute Qualität und nehmt dafür eventuell auch einen etwas höheren Preis in Kauf. Denn schließlich gilt auch beim Grillen der Grundsatz: Aus nichts wird nichts Gutes!" Ein Lebensmotto, dem wir uns nur anschließen können.

WOLFGANG BEFURT — KÄRNTEN

KAISERFORELLE MIT BRATKARTOFFELN UND GRILLGEMÜSE

ZUBEREITUNG

1 Die Forelle filetieren, sodass 2 große Filets entstehen. Entgräten und die Bauchlappen sowie allfälliges Fett entfernen, die Filets noch nicht würzen.

2 Kartoffeln ca. 4 Minuten in Wasser vorkochen, dann in ca. 1 cm dicke Scheiben schneiden und leicht einölen. Für das Grillgemüse die Karotten schälen und halbieren, Zucchini in 1 cm dicke Streifen schneiden, die Paprikaschoten entkernen und ebenfalls in Streifen schneiden.

3 Grill auf 200-250 °C vorheizen. Eine Plancha (Keramik oder Gusseisen) auf den Grill setzen, heiß werden lassen und etwas einölen. Zuerst das vorbereitete Gemüse, dann die Kartoffelscheiben auf die Plancha legen.

4 Fischfilets mit der Hautseite nach unten direkt auf den Grillrost legen, mit etwas Rosmarin und Zitronenscheiben oder -zesten belegen. Den Deckel schließen. Während des Grillens Gemüse und Kartoffeln wenden und darauf achten, dass nichts anbrennt. Fischfilets nicht wenden, die direkte Hitze eventuell reduzieren. Die Grillzeit beträgt je nach Stärke der Filets 10-15 Minuten.

5 Gegrilltes Gemüse und Kartoffelscheiben vom Grill nehmen, mit Salz sowie Pfeffer würzen und anrichten. Fischfilets ebenfalls vom Grill nehmen, würzen und mit dem Gemüse servieren.

ZUTATEN

1 schöne Kaiserforelle mit 2—2,5 kg
4 große Kartoffeln
Öl
4 Rosmarinzweige
Zitronenscheiben oder –zesten nach Geschmack
Salz, Pfeffer aus der Mühle

FÜR DAS GRILLGEMÜSE
4 Karotten
4 kleine Zucchini
4 Paprikaschoten
Öl
Salz, Pfeffer

**VERWENDETER GRILL
GASGRILL SUMMIT 670**

HELMUT ENZI

ICH GRILLE AM LIEBSTEN AUF ...

„Ich grille sehr viel auf Gas, da das am unkompliziertesten und vielseitigsten ist. Aber auch mein Kugelgrill wird immer wieder gerne verwendet, vor allem zum Smoken. In jungen Jahren habe ich oft und gerne über einem Lagerfeuer gegrillt, das gehört in Kärnten einfach dazu, wer das nicht erlebt hat, hatte keine gute Jugend."

HOPPALA

„Meine ersten Gehversuche mit dem neuen Gasgrill waren trotz der langjährigen Erfahrungen, die ich als Koch habe, teilweise ein ziemlicher Reinfall. Anfangs habe ich die fatalen Auswirkungen der starken Hitze völlig unterschätzt. Meine verkohlten Pizzen sind mir noch heute in Erinnerung. Doch Missgeschicke gehören einfach dazu, nur daraus kann man lernen!"

GRILLEN MIT PERFEKTEM KOCH-KNOW-HOW

In den Wintermonaten schafft es die Gegend rund um Hermagor oft durch die überaus großen Schneemengen, die dort vom Himmel fallen, in die Schlagzeilen. Das hindert Helmut Enzi aus Weißbriach im Gitschtal jedoch nicht daran, den Grill anzuwerfen.

„Ich grille das ganze Jahr hindurch und daher selbstverständlich auch im tiefsten Winter", meint der kälteresistente Grillmeister, auch wenn er in den warmen Jahreszeiten zu seiner wahren Hochform aufläuft. „Ich bin leidenschaftlicher Imker, ein unglaublich lohnendes Hobby, aber auch beim geruhsamen Karpfenangeln finde ich entspannenden Ausgleich zum Berufsstress. Dabei geht's mir nur um ‚Catch & Release', d.h. jeder Fisch wird auf schonendste Weise zurückgesetzt, die größeren davor aber gerne gewogen und fotografiert. Für den Grill gibt's bessere Fische, etwa Saiblinge, die ich auch selbst fange", meint Helmut und spielt damit auf ein weiteres Hobby an – das Grillen.

OFFEN FÜR ALLES NEUE

Die Grillleidenschaft seines älteren Bruders sowie einige Grillkurse bei Yulia Haybäck haben den Vater einer fünfjährigen Tochter mit dem Thema vertraut gemacht. Um das nötige Knowhow in puncto Fleischkunde musste er sich als gelernter Koch keine Sorgen machen. „Meist kaufe ich ganze Tiere - vor allem Wild oder Lamm - und zerteile sie so, wie ich das möchte. So entstehen beispielsweise Lamm-T-Bones, die ich gerne im Dutch Oven weich dünste. Ich bin offen für alles Neue, auch für Dry Aged Beef, aber da muss man wissen, was auf einen zukommt. Für jemanden, der sich damit noch nie beschäftigt hat, kann das problematisch werden. Wenn ich also nicht weiß, wie meine Gäste darauf reagieren würden, dann bleibe ich lieber bei Grill-Klassikern." Dazu genehmigt sich der routinierte Gastgeber gerne ein Glas Rotwein, bevorzugt Zweigelt, und freut sich, dass er in seiner Kärntner Heimat nahezu alles vor der Haustüre hat, was sein Leben als Grillmeister schön und gut macht.

KULINARISCHES SPIEGELBILD

„Als Koch lege ich bei den Grundprodukten großen Wert auf Regionalität - ob gekauft oder von mir hergestellt. Gemeinsam mit meiner Frau Elke, die mich auch beim Grillen tatkräftigst unterstützt, koche ich Marmelade aus selbst gepflückten Schwarzbeeren oder Granten, wie wir hier die Preiselbeeren nennen. Die Eier fürs Frühstück legen unsere eigenen Hühner und als Koch habe ich direkten Kontakt zu örtlichen Jägern, d.h. zu bestem Wild. Das Lammfleisch kommt direkt vom Bauern nebenan, wo ich die Tiere jeden Tag sehe und weiß, wie sie gehalten werden - das ist eine Lebensqualität, die mir sehr viel bedeutet und auf die ich größten Wert lege." So sieht Helmut auch den auf den folgenden Seiten vorgestellten Hirschrücken mit Steinpilz-Rosmarin-Polenta als „kulinarisches Spiegelbild" seiner Heimat Kärnten. Ob er die Pilze dafür auch selbst sammelt, fragen wir noch nach. „Selbstverständlich sammeln wir alle Pilze selbst, wir sind hier in Kärnten ja im Hotspot der Pilzregionen. Wo wir die finden, wollen Sie wissen? Das wird Ihnen ein richtiger Pilzsammler niemals genau sagen - im Wald eben!"

☞ **DER SPEZIELLE TIPP ZUM REZEPT**

Die Polenta mache ich gern am Vortag, so ist sie gut ausgekühlt und lässt sich problemlos in Scheiben schneiden. Der Honiglikör verleiht dem Gericht die perfekte Süße. Honig macht zähes Fleisch mürbe, was in diesem Fall nicht notwendig, manchmal aber hilfreich ist.

WEISSBRIACHER HIRSCH-RÜCKEN MIT STEINPILZ-ROSMARIN-POLENTA UND GEWÜRZGRANTEN

VORBEREITUNG

1   Hirschrücken mit Salz und Pfeffer würzen, mit Likör einstreichen und über Nacht marinieren.

ZUBEREITUNG

2   Für die Polenta Maisgrieß in leicht gesalzenem Wasser schön cremig kochen (siehe Tipp). Pilze zerkleinern, mit dem Rosmarin unterrühren. Polenta in eine Form streichen und erkalten lassen.

3   Rotwein für die Granten mit den Gewürzen (ohne Zucker) auf- und dann einkochen. Abseihen, mit Zucker und Preiselbeeren ca. 20 Minuten köcheln.

4   Grill auf 250 °C vorheizen. Hirschrücken kurz direkt von allen Seiten kräftig angrillen. In die indirekte Zone geben, je nach gewünschtem Garungsgrad bis zu 62–70 °C Kerntemperatur ziehen lassen. (Ich bevorzuge 68 °C.)

5   Währenddessen Polenta in Scheiben schneiden und mit etwas Öl auf einer heißen Gussplatte von beiden Seiten knusprig grillen. Gemüse je nach Bedarf waschen, putzen und in Scheiben oder Stücke schneiden. Nach Geschmack salzen, pfeffern und mit etwas Öl auf dem Grill oder der Platte grillen.

6   Hirschrücken aufschneiden und mit Polenta und Grill-gemüse anrichten, mit Granten garnieren.

ZUTATEN

800 g ausgelöster heimischer Hirschrücken (in meinem Fall aus Weißbriach)
Honiglikör zum Marinieren
Grillgemüse zum Anrichten nach Saison und Vorrat (in meinem Fall Zucchini, Cock-tailtomaten, Jalapeño–Chilis, aber auch Melanzani, Kürbis, Schwammerl, Pilze, Mangold, Spargel etc.)
Olivenöl

FÜR DIE POLENTA
250 g Polenta (Maisgrieß)
1 l Wasser
5 EL eingeweichte getrocknete Steinpilze
4 EL frisch gehackter Rosmarin
Salz
Rapsöl

FÜR DIE GEWÜRZGRANTEN
200 ml Rotwein
2 Zimtstangen
3 Sternanis
5 Gewürznelken
5 Wacholderbeeren
450 g Zucker
500 g Granten (Preiselbeeren)

VERWENDETER GRILL
GASGRILL

GEGRILLTE LAMMKRONE MIT POLENTA

ZUBEREITUNG

1   Bei den Lammkronen das Fleisch zwischen den Rippen herausschneiden und, sollte die Fettschicht zu dick sein, etwas Fett entfernen. Die zugeputzten Lammkronen mit grobem Salz leicht würzen. Das Olivenöl mit Kräutern, Knoblauch, Chili, Honig und Pfeffer mit einem Stabmixer zu einer feinen Paste aufmixen.

2   Kugelgrill auf 200–220 °C erhitzen, Kohlenkörbe in die Mitte stellen. Lammkronen auf der Fleischseite direkt so lange grillen, bis eine schöne Grillmarkierung entstanden ist, dann wenden, auf der Knochenseite ebenfalls kurz angrillen. Anschließend in die indirekte Zone legen. Die Würzpasta mit einem Löffel darauf verteilen, bis die Lammkronen gut damit bedeckt sind. Bei geschlossenem Deckel und offenem Lüfter ca. 10 Minuten auf eine Kerntemperatur von 56 °C grillen.

3   Für die Polenta die Polenta in einem heißen Dutch Oven trocken, d.h. ohne Fett, kurz rösten. Die Schalottenwürfel zugeben, ebenfalls kurz mitrösten, erst dann das Olivenöl eingießen. Kurz verrühren, mit der Milch aufgießen, mit Salz, Pfeffer sowie Muskatnuss würzen und zugedeckt ca. 12 Minuten (je nach Anleitung) köcheln lassen. Die Masse mit dem Schneebesen einmal durchrühren und prüfen, ob die Konsistenz schon cremig ist. Parmesan einrühren und die Polenta an die Seite stellen. Im heißen Dutch Oven zugedeckt ziehen lassen.

ZUTATEN

2 Lammkronen mit je ca. 500 g grobes Salz
100 ml Olivenöl
je 100 g fein geschnittene Petersilie und Basilikum
4 fein gehackte Knoblauchzehen
1 Messerspitze fein gehackter Chili
1 EL Honig
Pfeffer

FÜR DIE POLENTA
100 g Polenta (Maisgrieß)
4 fein geschnittene Schalotten
Olivenöl zum Anrösten
1 l Milch
Salz, Pfeffer
Muskatnuss
100 g geriebener Parmesan

☞ DER SPEZIELLE TIPP ZUM REZEPT

Wenn Spargel gerade Saison hat, serviere ich dazu sehr gerne gegrillten grünen Spargel und Cocktailtomaten mit reichlich brauner Butter. In dieser Kombination ein Gedicht!

**VERWENDETER GRILL
KUGELGRILL**

T-BONE-STEAK

ZUBEREITUNG

1 T-Bone-Steak gut salzen und bei Raumtemperatur ca. 45 Minuten ziehen lassen. Inzwischen den Grill auf 250 °C aufheizen. Steak scharf angrillen, dafür zunächst eine dicke Erdäpfelscheibe als Hitzeschild unter das Steak legen, Deckel schließen und pro Zentimeter Fleischstärke 1 Minute grillen – in meinem Fall waren das 4 Minuten. Nach ca. 2 ½–3 Minuten die Erdäpfelscheibe wieder herausziehen, damit das Steak die typische Grillmarkierung erhält. Steak nach 4 Minuten wenden, die Erdäpfelscheibe wieder unterlegen und den Vorgang wiederholen.

2 Ist das Steak auf beiden Seiten angegrillt, auf den Grillrost platzieren und die Hitze auf 180 °C reduzieren. Whisky, Honig und flüssige Butter zu einer Marinade verrühren. Das Steak dreimal alle 5 Minuten damit einstreichen, dazwischen den Deckel immer wieder schließen, damit das Steak rasten kann und das Whisky-Topping schön langsam karamellisiert.

ZUTATEN

1 T-Bone-Steak mit 1,5—2 kg
Salz
1 dicke Erdäpfelscheibe zum Grillen
100 ml Whisky
100 ml Honig
100 ml flüssige Butter

☞ DER SPEZIELLE TIPP ZUM REZEPT

T-Bone-Steaks sind relativ einfach zu grillen, es kann nicht viel passieren, da der Knochen als Hitzeschild dient und die Hitze gleichmäßig ins Fleisch weiterleitet. Zu T-Bone-Steak passen Braterdäpfel und/oder Pommes frites und Salat aus mariniertem Mozzarella, Blattsalat und Tomaten.

**VERWENDETER GRILL
GASGRILL**

RINDERBRUST VOM OCHSEN (BEEF BRISKET)

VORBEREITUNG

1   Die verschiedenen Pfeffersorten kurz anrösten, in einem Mörser zerstoßen und mit dem Steinsalz vermischen. Die Rinderbrust von Sehnen und einer allfälligen Fetteindeckung befreien und auf beiden Seiten großzügig mit der Salz-Pfeffer-Mischung bestreuen. Abgedeckt 24 Stunden durchziehen lassen.

ZUBEREITUNG

2   Am nächsten Tag den Weber SmokeFire Pelletgrill (siehe Tipp) mit Hickory-Pellets auf 120 °C erhitzen. Rinderbrust in den Garraum legen, einen Kerntemperaturfühler setzen und bis auf 85 °C Kerntemperatur smoken.

3   Ist die Temperatur erreicht, ein großes Stück Backpapier vorbereiten, mit naturtrübem Apfelsaft und BBQ-Sauce begießen und das Fleisch daraufsetzen. Auch die Oberseite mit BBQ-Sauce und Apfelsaft begießen, das Backpapier zusammenschlagen und alles in Alufolie einwickeln.

4   Die eingepackte Rinderbrust wieder in den Smoker geben, den Kerntemperaturfühler durch die Folie hindurch einführen und bei 120 °C auf eine Kerntemperatur von 95-99 °C smoken.

5   Das Garen des Briskets dauert auf diese Slow-Cooking-Art etwa 14–16 Stunden, die Konsistenz ist dann aber unvergleichlich, sie ähnelt einem Wackelpudding. Wenn man eine Scheibe herunterschneidet, sollte man sehen, dass sich das Kollagen komplett aufgelöst hat und flüssig ist –herrlich! Dazu serviere ich gerne Erdäpfel-Erbsen-Stampf.

☞ **DER SPEZIELLE TIPP ZUM REZEPT**

Für mich hat dieser Pelletgrill den Vorteil, dass der Kerntemperaturfühler mit dem Handy verbunden ist. Sobald die Pellets aufgebraucht sind, wird man über das Handy informiert. Das ist der Smoker für faule Intelligente und speziell bei diesen langen Garzeiten zu empfehlen.

ZUTATEN

3 verschiedene Pfeffer nach Wahl (z.B. Langer Pfeffer, Tellicherry–Pfeffer, Kubeben–Pfeffer)
grobes Steinsalz
1 Brisket (Rinderbrust vom Ochsen) mit intermuskulärer Fetteinlagerung, ca. 5—6 kg
naturtrüber Apfelsaft zum Begießen
BBQ–Sauce nach Belieben
Hickory–Pellets

**VERWENDETER GRILL
SMOKEFIRE PELLETGRILL**

SALZBURG

Ich fahre gern und oft nach Salzburg – und damit meine ich sowohl die Landeshauptstadt als auch das Bundesland. In der Mozartstadt gibt es für meine Familie und mich immer wieder etwas Neues zu entdecken. Schließlich gehört die Stadt an der Salzach zum Weltkulturerbe, die Veranstaltungen rund um die Salzburger Festspiele füllen die engen Gasserl im Sommer schlagartig mit Gästen aus aller Welt und der romantische Christkindlmarkt trägt dazu bei, dass die Altstadt im Winter ebenso einen Besuch wert ist. Der Tourismus spielt aber auch in den ländlichen Regionen eine wesentliche Rolle. Die landschaftlichen Reize des mitten in Österreich gelegenen Bundeslandes bieten sowohl im Sommer als auch im Winter alles, was sich Urlauber so erträumen. Erfrischende Seen zum Schwimmen oder Segeln, viel hügeliges Grün zum Wandern oder Radfahren, steile Gipfel zum Bergsteigen oder Klettern und im Winter gut präparierte Pisten zum Skifahren, Langlaufen oder Snowboarden. Davor, danach oder währenddessen sorgt die lokale Gastronomie vom einfachen Landgasthof bis zum Luxusrestaurant dafür, dass auch das leibliche Wohl nicht zu kurz kommt. Wer mich kennt, weiß, dass mir das natürlich mindestens genauso wichtig ist.

SALZBURGER SCHMANKERL

Nach geeigneten Rohprodukten und Lebensmitteln müssen die Salzburger nicht lange Ausschau halten. Die fünf Gaue – Flachgau, Tennengau, Pinzgau, Pongau und Lungau – wurden von der Natur großzügig bedacht, auch wenn das Klima mitunter doch recht rau ist. Tamsweg, St. Michael und andere Ortschaften im Lungau sind im Winter oft Kältepole, doch wenn der Sommer einmal da ist, dann gedeihen Obst und Gemüse überall sehr gut. Etwa das Walser Gemüse mit Paprika, Gurken, Zucchini, Tomaten und Salat, die als besondere Kartoffel-Spezialität geltenden Lungauer Eachtling oder die herrlichen alten Birnen- und Apfelsorten im Pinzgau.

Vieles davon wird schon seit Jahrhunderten angebaut, wie etwa die Salzburger Birne, die ihre Herkunft sogar stolz im Namen trägt. Besonders spannend finde ich das Projekt „Obstpresse" in Bramberg am Wildkogel. Dort haben die Bewohner im Rahmen der „Genussregion Bramberger Obstsaft" die Möglichkeit, auch kleinste Mengen ihrer geernteten Früchte zu feinem Saft pressen zu lassen. Um wahrlich große Mengen geht es hingegen bei der Erzeugung des berühmten Salzburger Käses. Aus dem Großarltal stammen etwa herrliche Hart-, Halbhart-, Schnitt- oder Frischkäse aus Kuh-, Schaf- oder Ziegenmilch. Nicht nur sprichwörtlich ausgezeichnet ist der Tennengauer Almkäse und als echte Rarität gilt der Sauer- oder Graukäse. Ob auf der Brettljause oder in den Salzburger Kasnocken, Käse ist aus der regionalen Küche nicht wegzudenken.

PINZGAUER RINDFLEISCH

Diesen großen Reichtum an köstlichem Käse verdanken wir vor allem einer Rinderrasse – dem Pinzgauer Rind. Die kastanienbraunen Tiere mit der typischen weißen Farbzeichnung sind bekannt für ihr ruhiges Temperament sowie ihren ausgeprägten Mutterinstinkt. Sie liefern zudem ganz hervorragendes Fleisch. Einer, der die Marmorierung und Zartheit dieses Fleisches vor allem beim Grillen schätzt, ist mein Freund Klaus Wieshofer (s. S. 185). Gemeinsam mit seinem Sohn betreibt er bei Goldegg eine Kunstschmiede, die sich in den letzten Jahren unter dem Namen „Smoker Maker" auf die Produktion von hochwertigen Grillgeräten spezialisiert hat. Kein Wunder daher, dass Wieshofer auch ein wahrer Meister ist, wenn es um das Zubereiten all der g'schmackigen Fleischstücke geht. Neben dem Tennengauer Berglamm und dem Pinzgauer Kitz trägt auch das Pongauer Wild zur Versorgung mit qualitätsvollem Fleisch bei. Geschätzt als fettarm, cholesterinarm und bio, gelangt das Fleisch von Hirsch, Reh und Gams meist gleich in die Gastronomie oder in die örtlichen Bauernläden zum Direktverkauf. Unsere kulinarische Rundreise durch das Bundesland Salzburg sollte aber keinesfalls enden, ohne eine der wichtigsten Ingredienzen für eine gelungene Grillerei erwähnt zu haben: erraten, es geht ums Bier. Mit einer Vielfalt von umsatzstarken Großbrauereien in und rund um Salzburg bis hin zur kleinen Nischenbrauerei mit Craft Beer garantiert die Mozartstadt, dass der Gerstensaft durchs ganze Jahr hindurch in Strömen fließen kann – auch bei vergnüglichen Grillrunden.

CHRISTIAN FRÜHWIRTH

ICH GRILLE AM LIEBSTEN AUF …

„Am liebsten verwende ich meinen Weber Kugelgrill 57. Doch manchmal ist auch mein Gasgrill unglaublich praktisch. Vor allem, wenn wir etwas rasch und kurz grillen möchten, da wäre es schade um die Briketts, die dann noch stundenlang Hitze abgeben, während wir schon mit dem Essen fertig sind. Auch bei größeren Einladungen ist es praktisch, eine zusätzliche Grillmöglichkeit zu haben."

HOPPALA

„Wir ‚opfern' bei fast jeder Grillerei den Grillgöttern mindestens ein Brot. Wie das geht? Wir grillen, wir essen und übersehen dabei, dass jemand ein Brot aufgelegt hat. Das Brot ist ungenießbar. Mittlerweile ist das ohne Absicht nahezu zu einer Tradition geworden und wir müssen jedes Mal lachen, wenn uns das wieder passiert."

RUNDES LEDER UND GLÜHENDE ZANGEN

Zusammen ist man weniger allein — und man kann auch so manches Hobby miteinander teilen. Wie etwa Christian Frühwirth, der mit Freunden aus Jugendtagen schon so einige Abenteuer bestanden hat.

Das beginnt bei der für Salzburger doch etwas ungewöhnlichen Vorliebe für Rapid Wien. Als aufrechte Fans mit Dauerkarte stand für die Burschen in früheren Jahren nicht nur alle zwei Wochen ein Match an, sie reisten der verehrten Elf auch ins Ausland nach. Mittlerweile hat die Begeisterung für das runde Leder bei Christian jener für glühende Kohlen etwas Zeit überlassen müssen. Aber auch da gibt's wieder einen treuen Gesinnungsgefährten, der mit dem Grillmeister die Leidenschaft fürs Garen über der Glut teilt. „Mein Freund Clemens ist gelernter Büchsenmacher, der später auf Konstrukteur umsattelte. Keine schlechte Kombination, wenn man hin und wieder alte Grillgeräte umbauen oder an Zubehör herumbasteln möchte." Und das tut Frühwirth, der das nötige Kleingeld für seine Hobbys als Verkäufer im Außendienst in der Branche Metall und Glasbau verdient, ausgesprochen gern.

BIER VOM FASS

Doch vornehmlich geht es dem sportbegeisterten Grillmeister natürlich um seine große Leidenschaft, feine Zutaten auf dem heißen Rost zu garen. Fleisch, wie etwa das Kalbinnen-Roastbeef für das auf den folgenden Seiten vorgestellte Rezept, kauft er in der nahen Metzgerei Auernig in Hallwang bei Salzburg. Der Familienbetrieb in 3. Generation bezieht das Fleisch wiederum von kleinen Bauern aus dem nördlichen Flachgau und dem Innviertel – alles schön regional! Auch das Bier, das bei keiner Grillerei fehlen darf, kommt aus einer berühmten Salzburger Brauerei und manchmal sogar vom Fass. Durch Zufall konn-

te Christian eine eindrucksvolle mobile Bar mit Bierausschank günstig erstehen, eine Attraktion für alle, die zu einem seiner beliebten Grillfeste geladen sind. „Grillen bedeutet für mich Zeit gemeinsam mit Freunden und Familie zu verbringen. Die Geselligkeit, das Kochen im Freien, das Grillen an sich und die zahllosen Möglichkeiten, was man auf wie viele Arten auf einem Grill zubereiten kann – das alles fasziniert mich!"

EILE MIT WEILE

So unterhaltsam diese Großeinladungen auch sein mögen, die wahre Herausforderung sieht der junge Salzburger dann, wenn es darum geht, edle Stücke bestmöglich zuzubereiten. „Manchmal dauert die Vorbereitung sehr lange, gutes Fleisch ist ja nicht billig, da sollte man sich beim Grillen schon ausgiebig Zeit nehmen. Bei manchen Gerichten wäre es nämlich ein fataler Fehler, die Hitze hochzuschalten, nur um schneller fertig zu sein, das Fleisch wird vermutlich zäh werden", rät der Grillprofi allen Neulingen. Gleiche Sorgfalt legen Christian und Clemens auch bei den Beilagen an den Tag. „Was für uns die besten Beilagen sind? Ganz einfach, alles, was selbstgemacht ist. Dazu zählen wir selbstverständlich feines Grillgemüse und frische Salate, aber auch hausgemachte Pommes frites, Knoblauchbrot oder pikante Saucen." Bleibt nur noch die Frage, ob die beiden auch so unzertrennlich sind, wenn es ums Aufräumen und Abwaschen geht. Sind sie - gemeinsam mit Frühwirths Partnerin Eva. Wenn das keine Grillfreundschaft mit Handschlagqualität ist!

ROASTBEEF VOM GRILL MIT SPECKFISOLEN

ZUBEREITUNG

1 Grill vorheizen. Fleisch auf der Fettseite kreuzweise einschneiden und mit Salz sowie Pfeffer würzen. Thymian fein hacken und mit der abgeriebenen Zitronenschale und dem scharfen Senf vermengen. Fleisch mit der Thymian-Senf-Paste einreiben.

2 Auf der gut vorgeheizten Feuerplatte mit etwas Öl beidseitig scharf angrillen. Über das Loch der Feuerplatte einen Rost setzen. Fleisch auf den Rost setzen, mit einem umgedrehten Schneekessel abdecken und indirekt auf eine Kerntemperatur von ca. 52 °C fertig grillen (insgesamt ca. 35 Minuten). Vom Grill nehmen, tranchieren und mit den Speckfisolen auftragen.

3 Während das Fleisch grillt, Fisolen zuputzen und in Salzwasser bissfest kochen, kalt abschrecken, abtropfen lassen und trocken tupfen. In 4 Portionen aufteilen und mit Salz sowie Pfeffer würzen. Je 4 Speckscheiben überlappend auf eine Arbeitsfläche auflegen, die Fisolenpäckchen darin gut einwickeln und auf der Grillplatte mitgrillen.

ZUTATEN

1 kg Beiried vom Salzburger Fleckvieh
Salz, Pfeffer
4 Zweige Thymian
Schale von 1 Zitrone
2 EL scharfer Senf
Öl

FÜR DIE SPECKFISOLEN
200 g grüne Fisolen
Salz, Pfeffer
16 dünne Scheiben Bauchspeck

☞ **DER SPEZIELLE TIPP ZUM REZEPT**

Wenn ich bei meinem Roastbeef zur Abwechslung einmal feines Raucharoma schmecken möchte, dann werfe ich in die Öffnung der Feuerplatte ein paar gewässerte Holzchips. Zu diesem Gericht serviere ich gerne zusätzlich noch Braterdäpfel und eine herzhafte Rotweinsauce.

182

**VERWENDETER GRILL
FEUERPLATTE**

KLAUS UND MARTIN WIESHOFER

ICH GRILLE AM LIEBSTEN AUF ...

„Da wir von Berufs wegen immer wieder neue Geräte ausprobieren, könnte ich gar keinen Favoriten nennen. Unsere selbstgebauten Holzkohlegrills, die Highland Smoker oder die Feuerplatte — das ist wie bei Kindern, sie liegen mir alle gleich am Herzen."

WENN DER VATER MIT DEM SOHNE …

Wo edle Hochlandrinder gezüchtet werden, dort landen diese früher oder später auch auf dem Grill.

So einfach klingt die Erklärung, wenn man die Grillkarriere von Vater Klaus und Sohn Martin Wieshofer näher unter die Lupe nimmt. Am Anfang stand also die im Nebenerwerb betriebene hauseigene Landwirtschaft, auf der die beiden Kunstschmiede seit 13 Jahren neben besagtem Highland-Beef auch Schweinefleisch produziert und allerlei gesundes Gemüse angebaut haben. Zur Lust, das selbsterzeugte Fleisch auf immer neue Art und Weise auf dem heißen Rost zu garen, gesellte sich bald der Plan, dafür kreative Grillgeräte herzustellen und diese auch anzubieten. „Als vor einigen Jahren die Zubereitung im Smoker so richtig Mode wurde, entwickelten mein Sohn und ich auch Smoker in allen Größen. Die Grills mussten natürlich wiederum getestet werden, so wurden diese ‚Tests' mit immer größerer Leidenschaft durchgeführt", erklärt Wieshofer Senior lachend den Kreislauf, dem sie die unbändige Freude am Brutzeln über heißer Kohle verdanken.

THE SMOKER MAKER

Heute pilgern Grillfreaks von weit her nach Goldegg, um in dem kleinen, aber feinen Familienunternehmen Feuertische, Highland Smoker und anderes Grillgerät der Premiumklasse zu erstehen. „Minderwertige Billigware wird man bei uns nicht finden, alles wird in Handarbeit und nach den speziellen Wünschen der Klientel produziert", wehrt Klaus gleich im Vorfeld allfällige Missverständnisse ab. Kann ein Hobby, das so eng mit dem Beruf verknüpft ist, den Smoker Makern, wie sie sich selbstbewusst nennen, auch noch nach Jahren Spaß machen? „Ja, das tut es. Es macht mir große Freude, auf der Glut den Eigengeschmack von hochwertigem Fleisch herauszu-

holen und durch Kräuter zu optimieren. Ich grille einfach gerne – allein, mit Freunden oder mit der Familie, es ist schön, wenn dann alle gemeinsam essen." Kein Wunder, dass den Wieshofer'schen Grillgeräten auch in den kalten Monaten kaum Pausen vergönnt werden. „Wir grillen das ganze Jahr hindurch, im Winter etwas weniger, aber auch, und im Sommer fast jedes Wochenende ein bis zwei Mal, mitunter auch zwischendurch abends", gibt Vater Wieshofer Einblick in den hauseigenen Grill-Fahrplan.

DRY AGED & TRADITION

So hohe Grillfrequenz macht freilich ein großes Repertoire an Rezepten und Ideen notwendig. Darum sorgt sich der begeisterte Blasmusiker aber nicht. „Ich lese viele Zeitschriften und Bücher, wir haben einen regen Austausch mit unseren Kunden und ich bin von Natur aus ein wagemutiger Typ. Ich probiere gerne Neues aus, das muss ich ja schon aus beruflichen Gründen. Wir müssen uns am Laufenden halten. So gibt es auch Dry Aged Beef von uns, das ein aufgeschlossener Metzger nach unseren Wünschen professionell reifen lässt." Der kulinarischen Tradition ihrer Heimat bleiben die beiden Wieshofers allerdings mit ihrem auf den folgenden Seiten vorgestellten Rezept treu. „Sausemmel" nennt sich das Gericht und wird auch all jenen schmecken, die nicht gleich wissen, worum es hier geht. „Einfach, schmackhaft und leicht herzustellen", merkt Filius Martin an und zückt ein stilvolles Barbecuemesser zum Aufschneiden der Köstlichkeit. Nicht irgendein Messer vom Großmarkt, ein selbstgeschmiedetes natürlich, schließlich sind wir bei den Wieshofers.

SAUSEMMEL NACH SMOKER-MAKER-ART

VORBEREITUNG

1 Fleisch gut mit Estragonsenf einreiben, Knoblauch zerdrücken und auf das Fleisch auftragen. Mit reichlich
Salz und ein wenig Paprikapulver rundum würzen. Den
Kümmel mit den bunten Pfefferkörnern grob im Mörser
zerstoßen, mit etwas Majoran vermengen und das Fleisch
damit gut einreiben. Die gut gewürzte Schweinsschulter
in Frischhaltefolie wickeln und über Nacht im Kühlschrank (bei 6–8 °C) marinieren.

ZUBEREITUNG

2 Am nächsten Tag das Fleisch aus der Folie nehmen. Smoker auf 120 °C vorbereiten. Fleisch in den Grill geben
und ca. 3 Stunden räuchern.

3 In Backpapier wickeln und im Smoker bei 90 °C auf eine
Kerntemperatur von 72 °C fertig garen (ca. 3 Stunden).

4 Ist die Schweinsschulter fertig gesmokt, die Handsemmerl aufschneiden und resch angrillen. Das Fleisch
je nach Belieben mit oder ohne Schwarte in Scheiben
schneiden, in die Semmel legen und etwas Estragonsenf
sowie frisch geriebenen Kren auf dem Fleisch verteilen.
Zweite Semmelhälfte aufsetzen – und genießen!

ZUTATEN

ca. 2,5 kg schön von Fett
durchzogene Schweinsschulter
mit Schwarte
Estragonsenf
6 Knoblauchzehen
Salz
etwas Paprikapulver
1 TL ganzer Kümmel
1 TL bunte Pfefferkörner
Majoran

FÜR DIE FERTIGSTELLUNG

8—10 Handsemmerl oder
andere Weckerl
Estragonsenf
frisch geriebener Kren

☞ **DER SPEZIELLE TIPP ZUM REZEPT**

Dieses Rezept ist so einfach, dass es
keinen zusätzlichen Tipp braucht. Das
Wichtigste ist: mit Geschmack würzen
und mit Begeisterung smoken — dann
sollte alles passen!

**VERWENDETER GRILL
SMOKER**

KRÄUTERCRÉPINETTE MIT ERDÄPFEL-KREN-STAMPF UND MAISCREME

VORBEREITUNG

1 Für die Gewürzmischung alle Zutaten gut vermengen. Rindsschulter und Schweinebauch daumengroß schneiden, mit der Mischung bestreuen, gut vermischen und im Kühlschrank mindestens 1 Stunde ziehen lassen. Inzwischen die Filetspitzen ca. 1 cm groß schneiden. Schnittlauch fein hacken, mit den Zwiebeln untermengen. Mariniertes Fleisch faschieren (am besten mit der 5-mm-Lochscheibe) und unter die Filetwürfel mischen. Masse etwas flachdrücken und ca. 1 Stunde kalt stellen.

ZUBEREITUNG

2 Schweinsnetz gut ausdrücken, auf eine Arbeitsfläche legen, dicke Teile wegschneiden. Fleischmasse auf eine Fläche von ca. 4 x 23 cm auftragen, mit dem Netz zusammenrollen und in 2 Teile teilen, dabei die Enden gut verschließen.

3 Grill auf ca. 160 °C erhitzen, Grillrost einölen. Crépinettes indirekt ca. 25 Minuten grillen (siehe Tipp).

4 Für den Erdäpfel-Kren-Stampf Gemüsefond in einen heißen Wok gießen, Erdäpfel und Butter zugeben, zugedeckt ca. 8–10 Minuten köcheln lassen. Erdäpfel in der Flüssigkeit nicht zu fein zerstampfen. Mit Salz, Pfeffer und Muskatnuss abschmecken. Kren und Petersilie einrühren.

5 Für die Maiscreme Zwiebel in einer Pfanne in Öl kurz anschwitzen. Mais zugeben, kurz weiterrösten. Honig einrühren und mit Chili, Salz, Pfeffer und Curry würzen. Mit Gemüsefond aufgießen und bei kleiner Flamme ca. 8–10 Minuten köcheln lassen. Masse in einen Mixbecher geben, mit der Butter fein aufmixen. Crépinettes mit Erdäpfel-Kren-Stampf und Creme anrichten.

ZUTATEN

700 g mageres Fleisch von der Rindsschulter
200 g Schweinebauch
100 g Rinderfiletspitzen
1 Bund Schnittlauch
2 fein gehackte rote Zwiebeln
1 gewässertes Schweinsnetz
Öl zum Bestreichen

FÜR DIE GEWÜRZMISCHUNG
18 g Meersalz
2 EL Honig
3 g gemahlener schwarzer Pfeffer
3 g Paprikapulver
1 g Cayennepfeffer
je 2 EL fein gehackter Rosmarin, Thymian, Basilikum und Petersilie
2 fein gehackte Knoblauchzehen
1 Messerspitze gemahlener Ingwer

FÜR DEN ERDÄPFEL-KREN-STAMPF
700 ml Gemüsefond
500 g gekochte Erdäpfel
100 g Butter
Salz, Pfeffer
Muskatnuss
100 g frisch geriebener Kren
100 g fein gehackte Petersilie

FÜR DIE MAISCREME
1 fein geschnittene Zwiebel
1 EL Rapsöl
250 g gekochte Maiskörner
1 EL Honig
1 Messerspitze Chili
Salz, Pfeffer
1 TL Currypulver
100 ml Gemüsefond
50 g kalte Butter zum Montieren

VERWENDETER GRILL
GASGRILL

SCHOPFBRATEN AUF SOMMER-LICH KUBANISCHE ART

VORBEREITUNG

1   Schwarte des Schopfbratens mit einem scharfen Messer in regelmäßigen Abständen einschneiden. Braten rundum mit Salz und Pfeffer fest einreiben. Für die Marinade alle Zutaten gut vermengen. Etwa ein Drittel der Marinade durch ein feines Sieb in ein Gefäß seihen, den verbliebenen Rückstand aus dem Sieb wieder unter die restliche Marinade mischen. Die abgeseihte Flüssigkeit mit einer Fleischspritze aufziehen und alle 2 cm in den Schopfbraten injizieren, bis die Flüssigkeit aufgebraucht ist.

2   Von der restlichen Marinade die Hälfte in eine größere Glasschüssel geben, den Schopfbraten hineinlegen, mit der restlichen Marinade übergießen und zugedeckt mindestens 2 Stunden, idealerweise aber über Nacht durchziehen lassen.

ZUBEREITUNG

3   Grill auf 140–150 °C einregeln. Schopfbraten aus der Schüssel nehmen, dabei die Marinade leicht abstreichen. Braten indirekt auf eine Kerntemperatur von 68–70 °C grillen.

4   Inzwischen die verbliebene Marinade einmal aufkochen und mit dem Mixstab pürieren. Sobald der Schopfbraten seine Kerntemperatur erreicht hat, mit der pürierten Marinade bestreichen und auf ca. 75 °C Kerntemperatur nachziehen lassen. Den fertigen Schopfbraten auf ein erwärmtes Holzbrett setzen, in Scheiben schneiden und anrichten (siehe Tipp).

☞ DER SPEZIELLE TIPP ZUM REZEPT

Zu diesem Gericht serviere ich gerne sautierten Zuckermais mit roten Paprikawürfeln, die ich mit Salz, Pfeffer und Chili abschmecke. Ich verteile das Gemüse auf einer großen Platte, bestreue es mit Tortilla-Chips und richte die Schopfbratenscheiben darauf an.

ZUTATEN

1 Schopfbraten mit 2,5—3 kg, am besten vom Duroc-Schwein
Salz, Pfeffer
1 Fleischspritze

FÜR DIE MARINADE
100 ml Olivenöl
Saft von 4 Orangen und
2 Limetten
100 ml weißer Rum
8 fein gehackte Knoblauchzehen
je 1 TL gemahlener Kümmel
und Ingwer
je 100 g fein gehackte Minze,
Petersilie und Oregano (oder
andere Kräuter)

**VERWENDETER GRILL
KUGEL-ODER GASGRILL**

SALZBURGER NOCKERL VOM GRILL

ZUBEREITUNG

1 Grill vorheizen. Einen feuerfesten Teller oder eine Platte (siehe Tipp) dünn mit Butter bestreichen. Die Biskotten in die Mitte der Platte legen und mit Preiselbeermarmelade bestreichen. Eiweiß in einer sauberen, fettfreien Schüssel halb-steif schlagen, dabei darauf achten, dass sich kein Eigelbrest im Eiweiß befindet. Unter gleichmäßigem Schlagen den Kristallzucker einrieseln lassen und den Schnee steif, aber nicht überschlagen – er sollte noch Schlieren haben und beim Stürzen im Schneekessel haften bleiben.

2 Mehl sieben, mit Eigelb sowie Vanillezucker über den Schnee geben und mit einem Kochlöffel luftig einrühren. Masse mit einer Teigkarte zum Rand hin hochziehen, daraus das erste große Nockerl ausstechen und auf die Preiselbeer-Biskotten setzen. Das zweite und dritte Nockerl ebenso auf die Platte setzen.

3 Nockerl bei 200–220 °C indirekt in den vorgeheizten Grill stellen und zugedeckt 8–10 Minuten grillen. Den Deckel öffnen, die heiße Platte herausnehmen und die Nockerl mit Staubzucker bestreuen. Rasch auftragen. Dazu passt Apfelkompott.

☞ DER SPEZIELLE TIPP ZUM REZEPT

Wenn ich Salzburger Nockerl auf dem Grill zubereite, verwende ich immer eine flache Platte, damit die Hitze überall gleichmäßig an die Nockerl herankommen kann. Bevor man die Nockerl in den Grill stellt, kann man sie auch noch leicht mit Mehl bestauben.

ZUTATEN

1 EL Butter zum Bestreichen
8 Biskotten
2 EL Preiselbeermarmelade
5 Eiweiß
60 g Kristallzucker
20 g Mehl
3 Eigelb
1 EL Vanillezucker
Staubzucker zum Bestreuen

**VERWENDETER GRILL
KUGELGRILL**

TIROL

Zu Tirol habe ich eine ganz spezielle Beziehung – und das gleich aus mehreren Gründen. Der wichtigste ist wohl die Tatsache, dass meine Frau Bettina aus Tirol stammt, aus Berwang, einer kleinen Ortschaft im Ausserfern. Aber bereits bevor ich Bettina kennenlernte, ist mir Tirol ans Herz gewachsen, da ich viele Jahre meiner Jugend hier als Jungkoch in sehr guten Hotels verbracht habe. Damals hätte ich mir nie träumen lassen, dass ich später einmal gemeinsam mit g'standenen Tiroler Grill-Liebhabern sogar eine Goldmedaille gewinnen würde. Wie ich als Wiener, der in Niederösterreich ansässig ist, dazu kam? Durch mein Faible für glühende Kohlen und züngelnde Flammen lernte ich den Grill-Guru Franz Größing aus St. Johann in Tirol kennen. Er veranstaltet mit seinem Grillverein „ABC" einmal im Jahr das legendäre „Wild King BBQ-Grillfest", bei dem ich regelmäßig als Gastgriller eingeladen bin. Also durfte ich im Jahr 2015 auch bei der Grill-WM in Göteborg mit dabei sein. Unsere stolze Ausbeute: Gold in zwei Kategorien – der Königsdisziplin Brisket- und beim Vegetarischgrillen –, in der Sparte „Dessert" holten wir Silber.

GRILLGERÄT VOM FEINSTEN

Die Voraussetzungen für solche Heldentaten sind natürlich beste Grundprodukte, und die gibt es in Tirol in jeder Hinsicht. Zartes Fleisch vom Tiroler Grauvieh, von Almschweinen oder Osttiroler Berglämmern ist eine großartige Basis für Grillvergnügen. Besonders anregend ist für mich in dieser Hinsicht die Freundschaft mit Werner Hofer, einem vielfach prämierten Bio-Wagyu-Züchter in Oberndorf in Tirol. Er versorgt Grillfreaks in und außerhalb von Tirol mit herrlichem Dry Aged Beef. Gesundes Tiroler Gemüse und herzhafte Erdäpfel begleiten diese Köstlichkeiten vom Rost. Und dann wäre natürlich noch der weltberühmte Tiroler Käse. Ob Alm-, Berg- oder Grau-

käse – für die Grillküche eignen sich alle. Das zeigt auch die Rezeptauswahl unserer Grillmeisterin Anna Oberlechner (s. S. 208 ff.), die mit Käse zubereitete Tiroler Klassiker wie Kaspress- und Spinatknödel miteinschließt. Auch Schlutzkrapfen, Kiachl mit Kraut, die typischen Kasnocken oder süße Zwetschkendatschi habe ich hinter Tiroler Gartenzäunen schon auf den Grill wandern sehen. Apropos Grill: Einer, der da ganz vorne mitmischt, ist Herbert Gwercher aus Kundl. In seinem „Studio Simonson" fertigt er mit hochwertigen Rohstoffen und einer ganz eigenständigen Philosophie Grillgeräte und Feuerplatten vom Feinsten.

SPITZENMÄSSIG

Glücklicherweise hatte ich zwischen all den Terminen auf meiner Grilltour durch Tirol auch ein wenig Gelegenheit, die landschaftlichen Reize des Landes nördlich und südlich des Inns zu genießen. Die Berge hier haben mich schon immer fasziniert, daher liebe ich auch die Gegend rund um Warth Richtung Lech oder das Zillertal mit dem anschließenden Hintertux samt Hintertuxer Gletscher. Im „Alpenhof" der Familie Dengg in Hintertux fühle ich mich immer wohl, ebenso im urigen „s'Mehlerhaus", einem wunderbaren alten Bauernhaus, in dem ich schon mehrmals grillen durfte. Spitzenmäßig ist in Tirol schließlich nicht nur der höchste Berg Österreichs, der Großglockner, sondern auch die Gastronomie - egal, ob auf einfachen Almen und Hütten, in bodenständigen Wirtshäusern oder in Toprestaurants. Dabei sind gesunder Genuss und nachhaltiges Wirtschaften die wichtigsten Spielregeln der regionalen Gastgeber. Am besten lernt man die vielfältige Tiroler Gastfreundschaft etwa in der Region Ischgl auf dem „Kulinarischen Jakobsweg" kennen, der mit Spezialitäten wie dem Paznauner Almkäse lockt. Im Kufsteinerland erlebt man während der „genuss.tage" allerlei kulinarisches Brauchtum, in den Regionen Osttirol und Tirol West lassen sich verschiedene Genussrouten erkunden und im Brixental präsentieren hochkarätige heimische Köche ihre Köstlichkeiten bei den „Raritätentagen". All das ging sich bei meiner Tour durch Tirol diesmal freilich nicht aus, aber das musste auch nicht sein. Zum Glück gibt's in den größeren Orten ja Wochenmärkte, etwa in St. Johann und Kitzbühel. Die Mitbringsel für Bettina und meine zwei Söhne Christian und Thomas waren also gesichert!

MANFRED BENEDIKT

ICH GRILLE AM LIEBSTEN AUF ...

„Da ich erst seit relativ kurzer Zeit wirklich vom Grillfieber gepackt wurde, besitze ich momentan nur eine Feuerschale und einen Kugelgrill, in dem ich aber sehr viel machen kann, etwa auch herrliches Pulled Pork mit dem Minion-Ring."

HOPPALA

„Mein erster Versuch, einen Kalbstafelspitz zu smoken, ging völlig daneben. Der Tafelspitz hat fantastisch ausgesehen, ließ sich auch gut aufschneiden, aber nach den ersten Bissen mussten wir bemerken, dass wir ihn viel zu lange und intensiv gesmokt hatten, das Fleisch war vor lauter Raucharoma ungenießbar. Ich wiederholte das Rezept nach kurzer Zeit und nun war alles perfekt. Heute zählt gesmokter Tafelspitz zu meinen Favoriten!"

DER KOCH, SEIN GRILL UND DIE LEIDENSCHAFT

„Es gibt nur einen wirklich wichtigen Ratschlag für Grill-Neulinge", meint Manfred Benedikt, „nämlich jenen, zu Beginn einen Basic-Kurs zu besuchen, der einem die Augen für die enorme Bandbreite beim Grillen öffnet."

Auf herkömmliche Weise gegrillt hat der zweifache Familienvater schon immer gern, aber da gab es nichts Außergewöhnliches im Programm. Sein eigentliches Erweckungserlebnis kam erst, als er durch Zufall Gast beim „Wild King BBQ"-Wettbewerb des Vereins Grill ABC war. „Dort erschloss sich mir eine neue Welt. Ich nahm in weiterer Folge an Grillkursen von Franz Größing teil, besuchte die Vereinsveranstaltungen und traute mich plötzlich, ein saftiges Steak direkt in der Glut in einer Feuerschale zu grillen! Das war sensationell!"

BÜGELEISENSTEAK & CO.

Auch der Weiterbildung in Sachen Fleischkunde durch seinen Verein kann der gebürtige Steirer aus Voitsberg sehr viel abgewinnen. „Ich bin ursprünglich ausgebildeter Koch, kam durch meinen Job nach Tirol und blieb der Liebe wegen hier hängen. Aber trotz meines Grundwissens habe ich im Grillverein eine Menge gelernt. Tomahawk, Bügeleisensteak oder Nierenzapfen, das sind nicht ganz so geläufige Begriffe, die aber hervorragende Qualität bieten." Mittlerweile verdient der Ex-Koch seine Brötchen schon länger als Lokführer bei den ÖBB und hat dadurch etwas mehr Zeit, sich seinen liebsten Hobbys zu widmen: seinen beiden Töchtern Laura und Lena – und dem Grillen. Wie rücksichtsvoll der Papa auch auf den Geschmack seiner Familie achtet, beweist die Tatsache, dass Manfred nicht nur, aber auch wegen seiner Tochter ab und zu gerne bei Niedertemperatur gart. „Wenn ich Rinderrippen smoke und sie vorher länger sous vide gare, dann schmeckt das meiner Laura, meiner älteren Tochter, besser. Die Rauchnote ist nicht so heftig wie bei konventionell gegrilltem Fleisch und das mögen Kinder lieber."

PARADIESISCHE ZUSTÄNDE

Seinen Kindern und ihrer gesunden Ernährung zuliebe baut der Exil-Steirer mit tatkräftiger Unterstützung seiner Frau Gabi rund um das Einfamilienhaus auch so manches selbst an. Kartoffeln etwa, in einem selbst gemachten Kartoffelturm, Obst und Gemüse oder Kräuter in einer Kräuterschnecke. Fünf Hühner sorgen für legefrische Frühstückseier. Was zugekauft wird, kommt vorwiegend aus der engeren Umgebung. „Ich muss im Winter keine Nektarinen aus Südafrika kaufen, da ist mir das Angebot vom Biohof in meiner Nachbarschaft lieber. Fleisch kaufe ich gerne bei meinem Metzger Sebastian Edenhauser, der es wiederum aus der Region bezieht, die Fische kommen aus der Gegend und manchmal fischen meine Töchter selbst Forellen und Saiblinge. Wir haben auch drei Käsereien direkt in der Umgebung", schwärmt Manfred von den paradiesischen Zuständen rund um Kirchdorf in Tirol. Was fehlt dem Hobbygriller dann noch zu seinem Glück? „Ein neuer Pelletgrill von Weber wäre eine feine Sache, der ist zumindest schon in meinem Kopf einsatzbereit."

GESMOKTER KALBSTAFELSPITZ VOM JAHRLING MIT BERGKÄSE-APFEL-RISOTTO

VORBEREITUNG

1 Für den Rub sämtliche Zutaten miteinander vermengen. Kalbstafelspitz am besten bereits am Vorabend mit dem Rub einreiben, davor die Silberhaut entfernen. Fleisch gut in Frischhaltefolie einschlagen und im Kühlschrank marinieren lassen.

ZUBEREITUNG

2 Am nächsten Tag rechtzeitig herausnehmen, aus der Folie wickeln und Raumtemperatur annehmen lassen. Den Smoker vorbereiten, das Fleisch hineingeben und bei 80–120 °C auf eine Kerntemperatur von 54–56 °C smoken.

3 Währenddessen das Risotto vorbereiten. Dafür die Schalotte fein hacken. Öl in einer Pfanne erhitzen, Schalotte kurz anrösten. Reis zugeben und für 2–3 Minuten hell anschwitzen. Apfelsaft zugießen und das Risotto unter wiederholtem Rühren köcheln lassen. Sobald der Apfelsaft verkocht ist, einen Schuss Suppe eingießen, wieder köcheln, wieder Suppe zugießen und weiter so verfahren, bis das Risotto fertig ist. Es sollte am Ende cremig, aber noch etwas bissfest sein. In der Zwischenzeit den Apfel in kleine Würfel schneiden. Sobald das Risotto fertig ist, kalte Butter, Apfelstücke und Käse unterrühren. Abschmecken, Topf abdecken und das Risotto 1–2 Minuten ziehen lassen. Nüsse in einer Pfanne ohne Öl anrösten oder smoken, zur Seite stellen.

weiterblättern
☞

ZUTATEN ①

1 Kalbstafelspitz mit ca. 1,2 kg vom Jahrling (Rind aus Mutterkuh-Haltung mit 9—12 Monaten, das die positiven Eigenschaften von Kalb- und Rindfleisch vereint und in Tirol sehr beliebt ist)

FÜR DEN RUB (ODER BELIEBIG ANDEREN VERWENDEN)
Akazienhonig
Salz, Sellerie- und Paprikapulver, Senfkörner, Chili, Kümmel, Pfeffer, Knoblauch, Majoran, Rosmarin, Thymian, Kardamom, Zwiebelpulver, Kreuzkümmel, Lorbeerpulver

FÜR DAS BERGKÄSE-APFEL-RISOTTO
1 kleine Schalotte
1 EL Olivenöl
150 g Risottoreis
100 ml Apfelsaft
400—500 ml Gemüsesuppe
1 Apfel
3 TL kalte Butter
80 g geriebener Bergkäse
Salz, Pfeffer

1 Handvoll ganze Walnüsse

**VERWENDETER GRILL
WEBER KUGELGRILL 57**

GESMOKTER KALBSTAFELSPITZ VOM JAHRLING MIT BERGKÄSE-APFEL-RISOTTO

4 Für die BBQ-Sauce Zwiebel feinwürfelig schneiden, Knoblauch fein hacken und alle Zutaten gemeinsam auf die gewünschte Konsistenz einkochen. Sauce durch ein Sieb passieren und in Gläser füllen. Die Sauce hält im Kühlschrank mehrere Wochen. (Wird sie wie Marmelade eingekocht, hält sie mehrere Monate.)

5 Für das Chutney den Apfel schälen und ebenso wie den Kürbis in kleine Würfel schneiden. Zucker in einem Topf karamellisieren, mit etwas Apfelsaft ablöschen und einkochen lassen. Mit etwas in Wasser aufgelöster Stärke leicht binden. Butter einrühren, Apfel und Kürbis zugeben. Mit Curry, Zitronensaft, Salz und Chili abschmecken.

6 Fertig gesmokten Tafelspitz in Scheiben schneiden und mit dem Bergkäse-Apfel-Risotto anrichten. Mit Nüssen und Chutney garnieren, mit der BBQ-Sauce servieren.

☞ DER SPEZIELLE TIPP ZUM REZEPT

Wenn Sie das Chutney und die BBQ-Sauce bereits einige Tage im Voraus zubereiten, kann sich der volle Geschmack besser entfalten. Die Fettschicht des Tafelspitzes können Sie mit einem Brenner karamellisieren — das schmeckt herrlich!

ZUTATEN ②

FÜR DIE BBQ-SAUCE
½ Zwiebel
1 Knoblauchzehe
250 ml hochwertiges Ketchup
100 ml Apfelsaft
100 g passierte Preiselbeermarmelade
1 TL Dijonsenf
½ TL geräucherter Paprika
2 EL Sojasauce
1 EL Worcestershiresauce
1 EL Kaffeepulver
2 EL Honig
5 cl Whiskey
Chili, Salz, Nelken, Ingwer nach Geschmack

FÜR DAS APFEL- KÜRBIS-CHUTNEY
1 Apfel
Kürbis in gleich schwerer Menge
2 EL Zucker
etwas Apfelsaft
Maisstärke
½ EL kalte Butter
Currypulver
Zitronensaft
Salz, Chili

**VERWENDETER GRILL
WEBER KUGELGRILL 57**

LUGGY BRETTBACHER

ICH GRILLE AM LIEBSTEN AUF ...

„Überwiegend grille ich auf einem Gasgrill, weil es einfach wenig Aufwand braucht und die Temperatur gut zu regeln ist. Für spezielle Gerichte, bei denen etwa langes Garen bei wenig Temperatur und/oder eventuell Rauch nötig ist, verwende ich meinen Keramikgrill von Monolith. Der ist auch ideal für kurze Garzeit bei hoher Temperatur. Meine Pizza schmeckt — bei aller Bescheidenheit — nicht wie beim Italiener, sondern besser!"

FINDE DAS GLÜCK IM GROSSEN STÜCK!

Luggy Brettbacher ist ein Abenteurer. Allerdings keiner, dessen höchstes Ziel es ist, alle Dreitausender zu besteigen oder sich beim Bungee Jumping in einen tosenden Fluss zu stürzen.

Seinen Herausforderungen stellt er sich zu Hause, hinter seinem Gartenzaun, zwischen blühenden Rosen. „Beim Grillen bin ich sehr, sehr wagemutig. Es interessiert mich nicht, ein Rezept zum x-ten Mal nachzukochen. Neues auszuprobieren, beim Metzger noch nie versuchte Zuschnitte zu bestellen und beim ersten Versuch dann mit meiner Frau Annemarie auch noch gleich Freunde einzuladen, das macht mir so richtig Spaß. Und wenn etwas schief geht, dann stachelt das meine Kreativität erst recht an, um das Missgeschick letztendlich doch noch in Genuss zu verwandeln", meint der vitale Pensionist, der nun endlich all das machen kann, wozu ihm sein stressiges Leben als Leiter der Arbeiterkammer Tirol im Bezirk Kitzbühel kaum Zeit ließ.

GRILLEN AUF DER BAUSTELLE

Den ersten Kontakt zu einem Grillgerät verdankt Luggy ziemlich pragmatischen Überlegungen. „Als ich vor 20 Jahren mit dem Bau meines Hauses begann, ging es darum, mich selbst und die Handwerker möglichst unkompliziert und effizient zu verköstigen. Also habe ich mir damals einen Gasgrill zugelegt und im wahrsten Sinn des Wortes Feuer gefangen. Seither hat mich die Grill-Leidenschaft nie mehr losgelassen!" Zum einfachen Gasgrillgerät gesellte sich mittlerweile unter anderem ein stattlicher Keramikgrill und aus dem Grill-Neuling von einst wurde ein stolzes eingetragenes Mitglied im Verein Grill ABC, einem weit über die Grenzen hinaus bekannten, von Spitzenkoch Franz Größing gegründeten Tirol Grillverein. „Der Verein ist für mich sehr wichtig, durch den Austausch mit den anderen Mitgliedern bekomme ich viele Anregungen, Ideen und Tipps. Da entstehen dann so verrückte Sachen wie Tintenfisch mit Blutwurst und Lardo gefüllt und gegrillt oder Octopus gesmokt."

DAS GLÜCK MIT DEM GROSSEN STÜCK

Wenn es um Fleisch geht, sucht der Weinliebhaber am liebsten sein „Glück mit dem großen Stück." „Ich liebe ganze Fleischteile. Bei denen ist die Vorbereitung wichtig, aber sobald das Stück gegart ist, kann auch ich das Essen genießen und muss nicht ständig zwischen Grill und Tisch herumspringen, um Steaks zu wenden. Außerdem ist es spannend, nicht die ohnehin bekannten Edelteile zu verwenden, sondern sich mit weniger geläufigen Teilen, zum Beispiel dem Nierenzapfen (Onglet), zu befassen." Beim Stichwort Onglet und Rohprodukte ist der Rosenliebhaber dann kaum mehr zu bremsen. „Was möglich ist, kaufe ich regional. Selbstverständlich auch Fleisch und da am liebsten Fleisch vom Tiroler Jahrling in Bio-Qualität vom Ensmannhof aus meiner Nachbarschaft in Oberndorf. Jahrlinge sind, wie der Name verrät, einjährige Rinder der Rasse Fleckvieh. Abgepacktes, vormariniertes Fleisch gibt's bei mir nicht!" Nur beim zurzeit recht geschätzten Dry Aged Beef zieht Luggy nicht ganz mit. „Meiner Ansicht nach steht die Höhe des Preises in einem krassen Missverhältnis zum Geschmacksergebnis, das ist für mich ein Zeitgeistprodukt und vielleicht auch eine Glaubensfrage." Gut, dass der Hobbygriller dank seines engagierten Metzgers und seiner ausgefallenen Cuts nicht darauf angewiesen ist.

ONGLET MIT POLENTA-PAPRIKA-RING UND ROTWEIN-KIRSCHEN-SAUCE

ZUBEREITUNG

1 Onglet zuputzen, dabei die längs verlaufende Mittelsehne entfernen, wodurch 2 Hälften entstehen. Von überschüssigem Fett und Haut befreien. Ca. 15 Minuten vor dem Grillen rundum salzen und mit Öl einreiben.

2 Inzwischen die Beilagen vorbereiten. Deckel und Boden der Paprikaschoten abschneiden, den verbleibenden mittleren Teil entkernen und die weißen Stege entfernen. Mit Kräutern, Salz und Pfeffer marinieren. Paprikamittelstücke sowie die Deckel bei 160 °C indirekt ca. 15 Minuten grillen oder im Rohr braten.

3 Währenddessen für die Polenta den Grill auf 200 °C einregeln. Milch mit Obers, Butter, Salz, Pfeffer und Muskat in einem Wok oder Topf aufkochen. Polenta dazugeben und unter ständigem Rühren köcheln lassen, bis sie schön cremig ist (Packungsanleitung beachten). Parmesan unterrühren, Polenta nochmals abschmecken, in die vorbereiteten Paprikaschoten füllen, Deckel aufsetzen und warmhalten.

4 Während die Polenta kocht, für die Sauce Schalotten hacken. Zucker leicht karamellisieren. Mit Rot- und Portwein ablöschen, Rosmarin, Thymian und Schalotten dazugeben. Alles auf ca. 10 % des Volumens einkochen, mit wenig Salz abschmecken und passieren. Mit ein wenig in kaltem Wasser aufgelöster Stärke binden und die Kirschen dazugeben. Kurz vor dem Servieren Butter unterrühren.

5 Grill auf ca. 250 °C vorheizen und das marinierte Onglet am besten auf einer Grillplatte bei direkter Hitze beidseitig je nach Größe pro Seite 2–2 ½ Minuten scharf anbraten. In die indirekte Zone legen und 5–8 Minuten bis zu einer Kerntemperatur von 51–54 °C ziehen lassen (nicht mehr als 55 °C, sonst wird das Onglet zu fest).

6 Fleisch vom Grill nehmen und kurz rasten lassen. Tranchieren und nach Wunsch mit Salzflocken und frisch geriebenem Pfeffer bestreuen. Mit der Polenta im Paprikaring anrichten und mit der Sauce beträufeln.

ZUTATEN

1 kg Onglet
(Herz- oder Nierenzapfen)
Salz
Öl
Salzflocken nach Belieben
Pfeffer aus der Mühle

FÜR DEN POLENTA-PAPRIKA-RING
4 rote Paprikaschoten
20 ml Olivenöl
1 EL frisch gehackte Kräuter
Salz, Pfeffer
250 ml Milch
250 g Schlagobers
30 g Butter
Muskatnuss
100 g Polenta
30 g frisch geriebener Parmesan

FÜR DIE ROTWEINSAUCE
2 Schalotten
2 EL Zucker
700 ml kräftiger Rotwein
80 ml Portwein
1 Rosmarinzweig
frischer Thymian
Salz
etwas Maisstärke
10 eingelegte oder frische Kirschen ohne Kerne
2 EL kalte Butterstücke

**VERWENDETER GRILL
HOLZKOHLE- UND GASGRILL,
GRILLPLATTE**

ANNA OBERLECHNER

ICH GRILLE AM LIEBSTEN AUF …

„In meiner Jugend haben wir recht einfach gegrillt,
es gab keine High-Tech-Geräte, doch wir waren mit
unserer Feuerschale vollkommen glücklich. Dieses
Glücksgefühl beim Grillen hat mich nie mehr losgelassen. Heute grille ich auf komplexeren Geräten, je
nach Bedarf etwa auf Gas- oder Holzkohlegrill, und
alles macht mir gleich viel Freude!"

TRADITIONALISTIN UND KÜCHENHEXE

Wer beim Grillen ausschließlich an imposante Fleischstücke denkt, wird von Anna Oberlechner eines Besseren belehrt.

Sie ist zwar keineswegs nur rein vegetarisch unterwegs, versteht es aber sehr wohl auch mit Gegrilltem abseits von Hüftsteak & Co. zu begeistern. Vielleicht ein weiblicher Zugang, der neben dem Geschmack auch die Gesundheit nicht zu kurz kommen lassen will. „Ich komme von einem Bauernhof mit Gastwirtschaft, da ist uns die Wertschätzung allem Essbaren gegenüber sozusagen mit in die Wiege gelegt worden. Bei mir dreht sich alles ums Essen, um gute Lebensmittel und richtige Ernährung. Ein Hobby, das durch meine Grillleidenschaft vor allem auch meiner Familie und meinen Freunden zugutekommt." Ihre Spinatknödel im Strudelteig vom Grill besitzen unter Freunden Kultstatus, die süßen Moosbeernocken werden nicht nur von ihren beiden Enkeln Lukas und David geschätzt. Auch ihre köstlichen Grillbrote oder Flammkuchen schlagen in dieselbe Kerbe.

FEINE GESCHMACKSTRÄGER

Was allerdings nicht bedeutet, dass die „Küchenhexe" – so der selbstgewählte Nickname – aus St. Johann Fleischgenüssen völlig entsagen würde. Im Gegenteil, nur muss die Qualität stimmen. Ein guter Freund des Hauses liefert ausgezeichnetes Wild, die örtliche Metzgerei Huber Top-Fleisch und Hofläden in der Umgebung beispielsweise feine Hauswürstel vom Strohschwein. „Molkereiprodukte beziehe ich am liebsten von Tirol Milch, auch den Graukäse, den ich ganz besonders liebe. Er ist der beste Geschmacksträger für meine Spätzle und vor al-

lem bei der Lieblingsspeise meines Sohnes Niki, den Kaspressknödeln!" Das Wissen, dass man auch derlei Dinge auf dem Grill zubereiten kann, verdankt Anna Oberlechner ihrer großen Aufgeschlossenheit neuen Technologien gegenüber – und ihrer Mitgliedschaft beim Verein Grill ABC. „Der Verein unter dem Vorstand Franz Größing ist eine wunderbare Sache. Jeder bringt sich ein, man erfährt immer wieder Neues, wir tauschen uns aus und haben einfach Riesenspaß!"

SILVESTER VOM GRILL

Wie ansteckend so ein Riesenspaß sein kann, wissen alle, die mit dem gut eingespielten Grillteam Anna und ihrem Mann Günther schon einmal Silvester rund um den Grill feiern durften. „Letztes Jahr haben wir Silvester mit asiatischem Touch zelebriert. Da wurde ein ganzer Lachs mit Limetten gegrillt, es gab gegrillte Garnelen mit süß-saurer Sauce und auf dem Feuerplattengrill dampfte heißer Punsch ..." So ließ sich jenes neue Jahr gebührend begrüßen, in dem Anna Oberlechner einen ganz besonderen Vorsatz fasste: „Ich wollte einen YouTube-Kanal erstellen, auf dem ich mit Interessierten alles teile, was mir rund ums Essen wichtig ist. Dazu gehört die grundsolide Tiroler Küche ebenso wie Tipps und Tricks beim Grillen. Ich bin schon sehr weit, nächstes Jahr sollte alles fertig sein und wird unter dem Namen Küchenhexe laufen." Dass der Kick-off dann mit einem zünftigen Grillfest begangen wird, davon darf man wohl ausgehen ...

209

☞ DER SPEZIELLE TIPP ZUM REZEPT

Sparen Sie bei den
Knödeln nicht mit Käse!

KASPRESSKNÖDEL VOM GRILL

ZUBEREITUNG

1 Die frischen Kräuter fein hacken, den Käse kleinwürfelig schneiden und die gekochten Kartoffeln auf dem Reibeisen reiben. Die Milch lauwarm erhitzen, mit dem Knödelbrot vermischen und etwas ziehen lassen.

2 Inzwischen die Zwiebel feinwürfelig schneiden und mit etwas Öl in der Pfanne kurz hell anrösten. Unter das Knödelbrot mischen und mit Eiern, Käse, geriebenen Kartoffeln und Kräutern vermengen. Mit Salz und Pfeffer abschmecken.

3 Aus der Knödelmasse kleine Laibchen formen, etwas flachdrücken und auf dem gut vorgeheizten Grill vorsichtig und langsam braten.

ZUTATEN

frischer Majoran und frische Petersilie
je 100 g Tilsiter, Bergkäse und Graukäse
2 gekochte Kartoffeln
100 ml Milch
200 g Knödelbrot
1 Zwiebel
Öl zum Braten
2 Eier
Salz, Pfeffer

SPINATKNÖDEL IM STRUDELTEIG

ZUBEREITUNG

1 Die Milch lauwarm erhitzen und mit dem Knödelbrot vermengen, kurz ziehen lassen. Die Zwiebel fein hacken und in etwas Öl goldgelb anschwitzen. Unter die Semmelmasse mengen und mit dem passierten Spinat, den Eiern, Mehl sowie geriebenem Bergkäse zu einer lockeren Masse durchmischen. Mit Salz, Pfeffer und Muskatnuss abschmecken.

2 Gorgonzola in kleine Würfel schneiden. Strudelteig auf eine leicht bemehlte Arbeitsfläche auflegen und in 20 x 20 cm große Quadraten schneiden. Mit einem Löffel jeweils etwas von der Masse in die Mitte der Strudelteigquadrate setzen. Je ein Stückchen Gorgonzola in die Masse drücken und den Strudelteig gut verschließen. Strudelteigpäckchen am vorgeheizten Grill langsam braten.

ZUTATEN

80 ml Milch
250 g Knödelbrot
1 Zwiebel
Öl zum Anrösten
200 g passierter Spinat
2 Eier
2 EL Mehl plus Mehl zum Arbeiten
50 g geriebener Bergkäse
Salz, Pfeffer
Muskatnuss
80 g Gorgonzola
1 Pkg. Strudelteig

**VERWENDETER GRILL
WEBER GASGRILL SPIRIT**

ANNA OBERLECHNER — TIROL

MOOSBEERNOCKEN

ZUBEREITUNG

1 Aus Mehl, Milch und Zucker einen glatten, eher festeren Teig rühren. Erst am Schluss die Moosbeeren vorsichtig unterheben.

2 Auf dem vorgeheizten Grill eine Eisenpfanne erhitzen und Butter schmelzen lassen. Mit einem Löffel die Masse in Form von kleinen Nocken hineinsetzen und bei nicht zu großer Hitze braten. Gegen Ende den Vanillezucker über die Moosbeernocken streuen und leicht karamellisieren lassen. 2–3 EL Wasser zugießen und die Flüssigkeit etwas einkochen lassen.

3 Moosbeernocken anrichten, mit Staubzucker bestreuen und mit der Sauce beträufeln.

ZUTATEN

150 g Mehl
80 ml Milch
1 EL Zucker
500 g Moosbeeren (Heidelbeeren)
2 EL Butter
1 Pkg. Vanillezucker
Staubzucker zum Bestreuen

☞ **DER SPEZIELLE TIPP ZUM REZEPT**

An heißen Tagen serviere ich dazu gerne Eis.

**VERWENDETER GRILL
WEBER GASGRILL SPIRIT**

☞ **DER SPEZIELLE TIPP ZUM REZEPT**

„Wenn ich den Tortillas eine besonders schöne und gleichmäßige Form geben möchte, dann verwende ich zum Aufsetzen der Masse kleine Metallringe. Das geht ebenso schnell wie einfach und sieht sehr gut aus."

ERDÄPFEL-PILZ-TORTILLA MIT LARDO UND VOGERLSALAT

ZUBEREITUNG

1 Die Pilze putzen und in kleine Würfel schneiden. Eine Pfanne auf dem Grill erhitzen, Zwiebel und Knoblauch in etwas heißem Öl anschwitzen. Die Pilze zugeben und mitrösten. Mit Salz, Pfeffer, Kümmel und Muskatnuss würzen, die frisch gehackten Kräuter einmengen und die Pfanne zur Seite stellen.

2 Eier und Crème fraîche in einer Schüssel gut verrühren, Pilzmischung dazugeben, die gekochten Erdäpfelwürfel untermengen und alles mit einem Löffel verrühren. Eine Gusseisenpfanne oder Platte auf dem Grill erhitzen, leicht mit Öl bestreichen und die Tortillamasse mit Hilfe eines Löffels in Form von kleinen Häufchen auf die Platte setzen. Bei ca. 200 °C beidseitig pro Seite ca. 4 Minuten grillen.

3 Auf dekorativen Tellern anrichten, mit Vogerlsalat, Paradeisern und fein geschnittenem Lardo garnieren und servieren.

ZUTATEN

250 g Pilze
100 g Zwiebelwürfel
3 fein gehackte Knoblauchzehen
Rapsöl
Salz, Pfeffer
je 1 Messerspitze gemahlener Kümmel und Muskatnuss
50 g gemischte fein gehackte Kräuter
2 Eier
4 EL Crème fraîche
500 g gekochte Erdäpfelwürfel

FÜR DIE GARNITUR

4 halbierte oder geviertelte Cocktailtomaten
12 hauchdünne Scheiben Lardo (Mangalitza–Rückenspeck)
marinierter Vogerlsalat

VERWENDETER GRILL
GASGRILL

ROGGENBROT-SPIESS MIT PIKANTEM LIPTAUER

ZUBEREITUNG

1   Für den Liptauer die Essiggurken feinwürfelig schneiden, Kapern mit dem Messer zerdrücken und sämtliche Zutaten gut miteinander vermengen. In eine Schüssel füllen und vor dem Servieren mit Paprikapulver bestreuen.

2   Für das Roggenbrot alle Zutaten etwa 5 Minuten zu einem geschmeidigen Teig verkneten und in der Rührschüssel ca. 15 Minuten rasten lassen.

3   Teig aus der Rührschüssel nehmen und mit den Händen nochmals kneten. Vom Teig kleine Stücke abstechen, zu langen Strängen formen und um Spieße wickeln. Mit Wasser besprühen, mit grobem Salz bestreuen und im Grill oder am offenen Feuer knusprig backen. Mit dem vorbereiteten Liptauer servieren.

ZUTATEN

500 g Roggenmehl Type 960
250 ml Wasser
13 g Salz
10 g Hefe
1 EL Honig
1 EL Bauernbrotgewürz
grobes Salz zum Bestreuen

FÜR DEN LIPTAUER
100 g Essiggurken
50 g Kapern
150 g Brimsen (Schaffrischkäse)
300 g Gervais
100 g weiche Butter
2 EL edelsüßes Paprikapulver
1 Messerspitze Sardellenpaste
100 g gehackte Petersilie
1 TL Kümmel (ganz)
1 TL Senf
Salz, Pfeffer
Paprikapulver zum Bestreuen

**VERWENDETER GRILL
FEUERPLATTE JAMES FLAMES**

DRUMSTICKS MIT SPECKDATTELN

VORBEREITUNG

1 Für den Rub die Pfeffer- und Senfkörner sowie die Fenchelsamen in einer Pfanne kurz trocken (ohne Fett) rösten, bis sie zu „tanzen" beginnen. In einen Mörser geben und fein zerstampfen. Die restlichen Gewürze zugeben, alles durchmischen und die Hühnerunterkeulen mit der Gewürzmischung bestreuen. Zugedeckt ca. 2 Stunden marinieren lassen.

ZUBEREITUNG

2 In der Zwischenzeit für die BBQ-Chili-Sauce das Olivenöl in einem Topf leicht erhitzen und die Zwiebeln kurz anschwitzen. Chili sowie Honig einmengen und kurz mitrösten. Mit Orangensaft und -schale aromatisieren, Tomatensaft und Kirschenmarmelade einrühren und die Sauce bei kleiner Flamme ca. 30 Minuten kochen lassen. Abschließend mit Salz und Pfeffer abschmecken. Fein aufmixen und je nach Wunsch passieren.

3 Für die Speckdatteln die Datteln jeweils in 1 Scheibe Speck einwickeln.

4 Kugelgrill auf 160 °C erhitzen. Die Kohlenkörbe in der Mitte platzieren, Grillrost einölen. Marinierte Drumsticks indirekt ca. 25 Minuten grillen. Deckel öffnen, die Hühnerkeulen mit der BBQ-Chili-Sauce dünn bestreichen und die Speckdatteln indirekt auf den Grill auflegen. Nochmals 8–10 Minuten grillen.

5 Die fertig gegrillten Hühnerkeulen und Speckdatteln vom Grill nehmen, auf einer Platte anrichten und mit der restlichen Sauce zum Dippen auftragen.

ZUTATEN

16 Hühnerunterkeulen
Öl zum Bestreichen

FÜR DEN RUB
2 EL Pfefferkörner
2 EL Senfkörner
2 EL Fenchelsamen
1 EL Steinsalz
2 EL brauner Zucker
2 EL Paprikapulver

FÜR DIE BBQ-CHILI-SAUCE
100 ml Olivenöl
2 fein gehackte Zwiebeln
1 Messerspitze fein gehackter Chili
2 EL Honig
Saft und Schale von 1 Orange
1 l Tomatensaft
6 EL Kirschenmarmelade
Salz, Pfeffer

FÜR DIE SPECKDATTELN
24 entkernte gedörrte Datteln
24 dünn geschnittene Scheiben Bauchspeck

**VERWENDETER GRILL
KUGELGRILL**

VORARLBERG

Lebt man, wie ich, im Osten Österreichs, so fährt man nach Udine kürzer als nach Bregenz – und dennoch ist uns das „Ländle" näher. Die Sprache der „Gsiberger", wie die Vorarlberger oft scherzhaft genannt werden, ist zwar für Nichteinheimische mitunter fast so unverständlich wie Italienisch, aber wir fühlen uns mit dem westlichsten Winkel von Österreich doch sehr verbunden, daher liebe ich meine gelegentlichen Reisen dorthin. Meist führt mich ja mein Beruf in die herrliche Gegend, die sich hinter dem Arlberg auftut und mit Deutschland, Schweiz und Liechtenstein gleich von drei Ländern begrenzt wird. Vor allem im Winter versuche ich es so einzurichten, dass ich zumindest einen kurzen Abstecher nach Lech oder Zürs schaffe – zwei Skiorte, die durch die große Promi-Dichte in aller Welt bekannt sind. Im Sommer wiederum bieten zahllose Bergsteig- und Wandermöglichkeiten sowie der Bodensee Gelegenheit für sportliche Betätigungen. Was mir in Vorarlberg aber besonders gefällt, ist die enge Verbindung zwischen Land, Menschen und nachhaltigem Genuss. Eine Vielzahl von Initiativen, wie etwa „Kulinarik im Biosphärenpark im Großen Walsertal" oder andere kulinarische Themenwanderwege nach dem Motto „von der Wiese auf den Teller" schaffen den Bogen zwischen Landschaftspflege, verantwortungsbewusster Tierhaltung und gutem Essen.

RIEBEL UND SURA KEES

Gut essen lässt sich in Vorarlberg zweifellos, ob in einfachen Berghütten oder mondänen Toprestaurants. Die Küche ist fast überall sehr regional geprägt, bodenständig, wird aber oft mit großem Einfallsreichtum modern interpretiert. Ein Muss bei jedem Besuch sind die Käsespätzle, auch Käseknöpfle genannt, die je nach Region mit unterschiedlichen – aber mindestens drei – Käsesorten zubereitet werden. Mir hat jede Version herrlich geschmeckt! Kein Wunder, denn Vorarlberg ist berühmt für seinen Käse. Berg- und Almkäse, Rässkäs' oder Sura Kees sind nur einige davon.

Riebel habe ich ebenfalls gekostet, das ist eine Mischung aus Mais und Weizengrieß, die gerne als Frühstück oder am offenen Feuer für die Jause zubereitet wird. Ich habe das Gericht von leicht über deftig bis hin zu sehr innovativ probiert und war jedes Mal begeistert. Neben köstlichem Bier aus einer der vielen kleinen regionalen Brauereien wurde mir selbstverständlich auch Subira angeboten, eine „hochgeistige" Schnapsspezialität aus Birnen, wie Edelbrände in Vorarlberg generell ganz ausgezeichnet sind. Sogar Wein wird hier angebaut, nicht viel, aber im Rahmen der grenzüberschreitenden „Weinregion Bergland" durchaus ambitioniert.

„AN GUATA!"

Bei meiner Tour für dieses Buch habe ich vor allem darauf geachtet, welche Rohprodukte den Grillmeistern aus der Region zur Verfügung stehen – und konnte ganz beruhigt sein. Die intensive Almwirtschaft liefert hochwertiges Rindfleisch, vor allem das Montafon mit seinem Braunvieh und das Kleinwalsertal. Zudem gibt's jede Menge Wild in den Wäldern, das sich unter Grillern größter Beliebtheit erfreut. Wer Fisch bevorzugt, wird mit Felchen und Egli, zwei Raritäten aus dem Bodensee, glücklich werden. Diese Fische isst man am besten vor oder nach einer Aufführung der beeindruckenden Bregenzer Seefestspiele in einem der vielen Restaurants am See. Diese Kombination von feinem Essen und atemberaubendem Sonnenuntergang am Wasser lässt sich kaum toppen – außer vielleicht von einem unterhaltsamen Grillabend mit Freunden, zu dem wir im Anschluss die passenden Rezepte liefern. Diesbezüglich für alle Grillfreunde, die nicht in Vorarlberg zu Hause sind, ein Tipp: Zaubern Sie mit typischen Produkten, beispielsweise Vorarlberger Käse, Lustenauer Senf und edlen Ländle-Bränden, die im guten Delikatessenhandel auch im Osten erhältlich sind, Gsiberger Flair herbei und wünschen Sie Ihren Gästen „an Guata!"

DOMINIK ERNE

ICH GRILLE AM LIEBSTEN AUF ...

„Ich verwende einen Gasgrill und einen Holzkohlegrill — beides zu gleichen Teilen und beides gleich gerne. Über Lagerfeuer haben wir bei Familienausflügen auch schon gegrillt, das ist Abenteuer pur — vor allem für meine Kinder Johanna und Vincent."

HOPPALA

„Als ich zum ersten Mal ein Huhn, das ich auf eine Bierdose gesetzt habe, zubereiten wollte, habe ich leider die Temperatur total unterschätzt. Ich setzte das Huhn auf den Grill und bei der nächsten Sichtkontrolle war es bereits kohlrabenschwarz. Naja, aus Fehlern lernt man wohl am besten ..."

LEIDENSCHAFTLICHER ANGLER UND GRILLER

„Grillen? Nein, danke!" So würde Dominik Erne viel-leicht noch heute denken, hätte er nicht während eines längeren USA-Aufenthaltes in einschlägigen Sendungen auf „Food Network" gesehen, wie Grillen wirklich Spaß machen kann.

Was die grillenden Jungs in den 24-Stunden-Shows da auf die Beine stellten, hatte mit dem, was er von den trockenen, trostlosen Grillerei-en bei öffentlichen Veranstaltungen in seiner Kindheit zu Hause in Vorarlberg kannte, nichts gemeinsam. Grillen ging also auch anders. „Als ich dann zum ersten Mal selbst perfekt gegarte Steaks gegrillt hatte, war meine Leidenschaft ge-weckt – und ist seither nicht mehr versiegt. Heu-te liebe ich das Grillen, die damit verbundene Ge-mütlichkeit und Einfachheit, das Zusammensein mit meiner Familie und Freunden im Garten."

WELTBESTE PRODUKTE

An Ideen für die Umsetzung seines - neben Reisen, Joggen und aktivem Eishockey - liebs-ten Hobbys mangelt es dem Textilunternehmer nicht. Rezepte in Kochbüchern, Blogs und Foren im Internet, doch vor allem seine eigene Kreati-vität spielen ihm immer wieder neue Inspiratio-nen zu. Die dafür notwendigen Grundprodukte liefert mit selbstangebauten Karotten, Kartoffeln, Tomaten, Bohnen oder Gurken zum Teil der ei-gene Garten, aber auch eine weitere Freizeitbe-schäftigung: das Angeln. „Ich bin leidenschaftli-cher Angler und habe schon wiederholt herrliche selbstgefangene Bachforellen gegrillt. Auch Hecht sowie Döbel lassen sich gut und schmackhaft zu-bereiten. So ein Wildfisch ist ein echtes regionales Naturprodukt - besser geht's kaum!"

Für die restlichen Zutaten sorgen die Bauern und Produzenten des „Ländles". „Wir können stolz sein auf unser hochwertiges Fleisch aus re-gionaler Produktion, den für mich ‚weltbesten' Lustenauer Senf, unsere Vorarlberger Käse und nicht zu vergessen die feinen Schnäpse, wie bei-spielsweise jene von Freihof."

ÜBUNG MACHT DEN MEISTER

Fragt man den Lustenauer Grillmeister nach einem Ratschlag, den er Anfängern mit auf den Weg geben möchte, dann erstaunt die Schlicht-heit seiner Antwort. „High-Tech-Geräte sind ge-rade anfangs nicht notwendig, wichtig sind aber ein guter Rost - am besten aus Gusseisen - sowie ein Thermometer, um rasch das richtige Gefühl für die Garstufen zu bekommen. Und gute Qua-lität des Grillguts natürlich, mehr braucht man nicht." Dass bei größeren Runden der richtige Garpunkt von Fisch, Fleisch oder Gemüse mit-unter eine Herausforderung darstellt, hat der Liebhaber von alten Landkarten auch erst selbst herausfinden müssen. Doch mit zunehmender Übung gelingt auch das. Und wie steht's mit der Arbeitsteilung im Hause Erne? „Meist bin ich fürs Vorbereiten und Grillen zuständig. Aber manchmal mache ich meiner Frau Claudia eine Freude und übernehme das Komplettprogramm, Abwasch inklusive."

ROTWEINBURGER MIT KAFFEE-RUB UND LÄNDLE-ZIEGENKÄSE

ZUBEREITUNG

1 Für den Burger den Rotwein mit braunem Zucker und Lorbeer um die Hälfte einkochen lassen. Dann Butter darin schmelzen und abkühlen lassen. Das Faschierte nochmals mit einem scharfen Messer fein hacken, in einer Schüssel mit Paprikapulver, Worcestershiresauce, Salz, Pfeffer sowie dem eingekochten Rotwein vermischen. Die Masse mindestens 30 Minuten bei Raumtemperatur ziehen lassen. Dann aus der Masse 4 Kugeln formen und auf ca. 2 cm flachdrücken. In die Mitte mit einem Löffel jeweils eine Delle drücken, damit die Patties beim Grillen flach bleiben.

2 Für den Kaffee-Rub den gemahlenen Kaffee mit etwas Chilipulver und Salz vermischen. Ungefähr 5–10 Minuten vor dem Grillen die Patties dünn mit Olivenöl bestreichen und mit dem Rub großzügig einreiben.

3 Ziegenkäsescheiben salzen und bei Bedarf trocken tupfen. Für das Honigdressing den Honig mit Olivenöl, den gehackten Kräutern, Salz und Knoblauch gut verrühren. Dabei etwas von den Kräutern fürs Anrichten aufbewahren.

4 Grill vorheizen und die Burger-Patties bei direkter Hitze ca. 4 Minuten auf jeder Seite bei geschlossenem Deckel auf ca. 55 °C Kerntemperatur grillen. Den Ziegenkäse auf einer heißer Grillplatte (mit engmaschigem Rost) auf jeder Seite ca. 30 Sekunden grillen.

5 Auf jedem Teller je 2 Scheiben gegrillten Ziegenkäse anrichten und mit dem vorbereiteten Honigdressing überziehen. Walnussstücke und Kräuter darüberstreuen. Den fertig gegrillten Burger daneben platzieren und mit etwas Pfeffer bestreuen. Mit einem leicht angetoasteten halbierten Burgerlaibchen servieren. „An Guotö", wie man bei uns in Lustenau sagt!

ZUTATEN

FÜR DEN ROTWEINBURGER
300 ml kräftiger Rotwein (ich bevorzuge Blaufränkisch)
1—2 EL brauner Zucker
1 Lorbeerblatt
2 TL Butter
800 g Rindsfaschiertes (idealerweise mit ca. 20 % Fettanteil)
1 TL edelsüßes Paprikapulver
1 Schuss Worcestershiresauce (oder Sojasauce)
Salz, Pfeffer
Olivenöl zum Bestreichen
4 Buns (Burgerlaibchen) zum Anrichten

FÜR DEN KAFFEE-RUB
1 EL frisch (nicht zu fein) gemahlener Kaffee
Chilipulver
Salz

FÜR DEN ZIEGENKÄSE MIT HONIGDRESSING
8 Scheiben fester Ziegenkäse à ca. 50 g und 1 cm dick
Salz
2 EL Honig
2 EL Olivenöl
frischer Thymian und Basilikum
Knoblauch nach Geschmack
gehackte Walnüsse

**VERWENDETER GRILL
WEBER MASTER TOUCH
HOLZKOHLEGRILL ODER
WEBER Q200 GASGRILL**

Wenn Sie das Hackfleisch nicht selbst durch den
Fleischwolf gedreht haben, sollten Sie es nochmals
mit einem Messer wirklich fein hacken und danach
mehrere Stunden marinieren. Die Burger–Patties
dürfen nicht zu lange gegrillt werden, sonst werden sie trocken.

GERT FESSLER

ICH GRILLE AM LIEBSTEN AUF ...

„In meiner Kota mit offener Feuerstelle
kann ich meine große Leidenschaft für
lodernde Flammen voll ausleben, phantastisch grillen und zudem mit meinen Freunden jede Menge Spaß haben."

ZUERST DAS FEUER, DANN DAS GRILLEN

Schokolade ist sein Leben, zumindest ein großer Teil davon. Mit seiner „Chocolaterie am Berg" in Götzis stillt Gert Fessler den Hunger nach Süßem weit über die Vorarlberger Grenzen hinaus.

Liebhaber köstlicher Pralinen kennen seinen Namen in ganz Österreich und pilgern regelmäßig zu seinen Kursen im „Alpen College". Warum Fessler dann in diesem Grillbuch vertreten ist? Ganz einfach: Die Begeisterung für alles, was mit Feuer zu tun hat, prägt die zweite Hälfte seines Tuns. „Bei mir kommt immer zuerst das Feuer und dann erst das Grillen, ich bin seit meiner Jugend ein echter Zündler. Wo ich mich niederlasse, brennt über kurz oder lang ein Feuer. Früher waren das kleine Lagerfeuer, die im Laufe meines Lebens immer größer wurden. Wenn ich eine schöne Glut habe, muss ich einfach etwas auflegen – daher mein Faible fürs Grillen."

DUROC-SCHWEINE UND BIO-GEMÜSE

Dass sich diese beiden Welten beispielsweise in Form von Schokoladefondue vom Grill oder gegrillter Schokobanane mit Marshmallows und Erdbeeren höchst schmackhaft überschneiden, liegt auf der Hand. Zuvor tischt der begeisterte Harley-Biker aber noch Handfestes auf, am liebsten Biofleisch vom Schwein oder der Pute. „Neue Cuts oder Dry Aged Beef kenne ich natürlich, aber da der Bio-Spallenhof in Meschach mein Nachbar ist, bevorzuge ich dieses Fleisch. Da weiß ich, wo es herkommt. In meinem Fall sind das großteils Duroc-Schweine sowie Rinder. Putenfleisch hole ich vom Bioladen Flatz in Hard und das Gemüse von Bauern aus der Umgebung", verrät Gert. Gemüse steht ohnehin oft auf dem Speiseplan, aus Liebe zu seiner Frau Ursula. Die Hundetrainerin, die auch eine Hundepension führt, ernährt sich seit einigen Jahren rein vegetarisch, steht aber den Großeinkäufen von Koteletts und Bratenstücken ihres Gatten sehr tolerant gegenüber. „Wir führen eine wunderbare, langjährige Beziehung, die solche Gegensätze gut aushält."

MAGISCHER ORT

Mag sein, dass das harmonische Zusammenleben in puncto Grillen nicht zuletzt am Ort des Geschehens liegt. Ein Ort, den man einfach lieben muss. Die Rede ist von einer beeindruckenden Kota. Das hölzerne Vieleck mit tiefgezogenem Dach und einladender Tür beherbergt im Inneren eine geräumige offene Feuerstelle, um die sich die Grillgäste scharen. Im Sommer und erst recht im Winter, wenn in dem tief eingeschneiten Grillpavillon die wohlige Wärme rund ums lodernde Feuer ihre Wirkung tut. „Die Kota zieht die Leute magisch an, und wenn man einmal sitzt, dann finden manche nicht mehr so schnell hinaus", weiß Gert Fessler aus Erfahrung zu berichten. Buchenholz oder Holzkohle bildet die Unterlage für dieses magische Feuer, gegrillt wird nach spontanen Einfällen. „Nach dem einen oder anderen Bier in der Kota (er-)finden meine Freunde und ich immer wieder neue interessante Grill-Ideen, wie etwa panierte Käsknöpfle zum Kotelett oder süße Pizza". Klingt apart und schmeckt auch so. So apart, dass es die Käsknöpfle vom Grill sogar in dieses Buch geschafft haben (s. folgende Seiten).

SCHWEINSKOTELETT MIT PANIERTEN KÄSKNÖPFLE

VORBEREITUNG

1 Für die Marinade den Knoblauch pressen und mit den anderen Zutaten vermengen, dabei so viel Olivenöl einrühren, dass die Marinade die gewünschte Konsistenz erreicht. Die Koteletts zuputzen, mit der Marinade bestreichen und am besten vakuumieren oder in Frischhaltefolie gut einschlagen. Im Kühlschrank über Nacht ziehen lassen.

ZUBEREITUNG

2 Am nächsten Tag das Fleisch rechtzeitig aus dem Kühlschrank nehmen. Für die Käsknöpfle das Mehl mit Eiern, Rahm und einer Prise Salz zu „an slampiga Teig", d.h. zu einem nicht perfekt durchgekneteten Teig, verarbeiten. In einem großen Topf Wasser aufkochen, die Masse mit einem Spätzle-Hobel in kochendes Wasser hobeln und kurz aufkochen lassen. Sobald die Spätzle an der Oberfläche schwimmen, abgießen und abtropfen lassen. Die noch heißen Spätzle in eine Schüssel geben, mit dem geriebenen Käse gut vermischen und runde Knödel aus der Masse formen. Im Kühlschrank etwas auskühlen lassen.

3 Inzwischen das offene Feuer vorbereiten. Dann die Käsknöpfle in Mehl, mit etwas Obers versprudelten Eiern sowie Bröseln panieren. Einen Gusseisentopf oder eine Kasserolle über das Feuer setzen, Fett nach Wahl erhitzen und die panierten Käsknöpfle darin knusprig backen. Dabei Topf und Knödel ab und zu bewegen, damit die Knöpfle schön gleichmäßig braun werden. Knöpfle herausheben und auf Küchenpapier abtropfen lassen.

4 Die marinierten Koteletts auf der heißen Feuerplatte bei großer Hitze auf jeder Seite ca. 2 Minuten kräftig angrillen, an den Rand legen und noch kurz ziehen lassen. Anrichten und mit den Käseknöpfle auftragen.

ZUTATEN

4 saftige Koteletts vom Duroc-Schwein zu je 150—200 g

FÜR DIE MARINADE
4 Knoblauchzehen
6 EL Zitronensaft
3 EL Honig
1 EL Paprikapulver
1 EL Salz
1 TL frisch geriebener Pfeffer
ca. 8—10 EL Olivenöl

FÜR DIE PANIERTEN KÄSKNÖPFLE
500 g doppelgriffiges Mehl
6 Eier
100 g Sauerrahm
Salz
150 g geriebener Bergkäse
250 g geriebener Emmentaler
200 g geriebener Sura Käs
(Vorarlberger Sauerkäse)
griffiges Mehl, mit etwas
Obers versprudelte Eier und
Brösel zum Panieren
Kakaobutter, Butterschmalz
oder Sonnenblumenöl zum
Herausbacken

**VERWENDETER GRILL
FEUERPLATTE IN MEINER
GRILLKOTA**

GÜNTER HÄMMERLE

ICH GRILLE AM LIEBSTEN AUF ...

„Aus der Flasche wird getrunken und nicht
gegrillt! Also gibt's bei mir keine Gasfla-
sche, sondern ausschließlich Holzkohle fürs
Grillen. Aber das dafür durchs ganze Jahr
hindurch."

GRILLMEISTER MIT LUST AUF IMPROVISATION

„Warum ich grille? Weil ich Fleisch liebe und weil Grillen gemütlich ist, ganz nach dem Motto: der Mann und das Feuer. Ein Bier gehört natürlich auch dazu!"

So einfach kann's sein, wenn man weiß, wovon man spricht. Und das tut der umtriebige Lustenauer, der in seinem Brotberuf als Werkzeugmacher für Stanzwerkzeuge so manch heißes Eisen im Feuer hat. Günter Hämmerle ist generell ein Mann der Tat, der Herausforderungen liebt. Das zeigen auch seine Hobbys, die mit Triathlon, Mountainbiken und Rennradfahren nichts für Weichlinge sind. Also verlässt der Familienvater auch beim Grillen gerne allzu ausgetretene Trampelpfade und begibt sich lieber auf Neuland. „Ich probiere immer wieder etwas Neues aus, experimentiere gerne und finde, dass ein guter Grillmeister auch Lust auf Improvisation haben sollte."

GÄSTE SOLLEN ZUSEHEN

Einen schmackhafteren Beweis für seine Improvisationslust als die auf den folgenden Seiten vorgestellte Paella vom Grill kann es kaum geben. „Freilich wird dieses Gericht üblicherweise in der Küche auf dem Herd gekocht, aber bei der Zubereitung der Paella auf dem Grill reizt mich vor allem das Zelebrieren des Ganzen, mir ist wichtig, dass die Gäste dabei auch anwesend sind, dabei zusehen und wir so unseren Spaß haben. Außerdem kann ich auf dem Grill so einiges gleichzeitig machen, etwa die Meeresfrüchte in der Pfanne garen, während auf dem Rost die Hühnerkeulen und Scampi gegrillt werden." Seine erste Paella hat Günter übrigens im zarten Alter von 16 Jahren gekostet, als er als jugendlicher Leichtathlet in Spanien trainierte. Eine kulinarische Erfahrung im Ausland, die ihn offenbar nicht mehr losgelassen hat.

PUTE VOM BRUDER

Was die Beschaffung der Zutaten betrifft, ist jedoch – bis auf wenige Ausnahmen – die nächste Umgebung angesagt. Rind- und Schweinefleisch holt er von der Ochsenmetzgerei und der Metzgerei „Bären" in Lustenau, für Pute und Lamm sorgt sein Bruder mit seiner kleinen Landwirtschaft, für Forellen aus dem Bregenzerwald sprudelt dank eines Freundes eine weitere private Quelle und hochwertiges Dry Aged Beef kommt vom AGM Hohenems. Gemüselieferanten verdienen sich bei dem begeisterten Bergsteiger allerdings keine goldene Nase. „Gemüse verwende ich nur als Beilage, etwa Tomaten mit Schafkäse überbacken, aber auch Kartoffeln in Form von Grillkartoffeln oder Kartoffelgratin und natürlich feiner Sommersalat." Für Letzteren ist meist Ehefrau Jenni zuständig, „alles andere" macht nach eigener Auskunft der Hausherr selbst. Sollte das wirklich auch das Aufräumen und Abwaschen miteinschließen, so wäre das ein charmanter Beweis, dass auch in so manch hart durchtrainiertem Grillmeister ein weicher Kern steckt ...

☞ **DER SPEZIELLE TIPP ZUM REZEPT**

Bei der Zubereitung ist vor allem wichtig, dass beim Deckel auch der Lüfter
geschlossen ist, damit kein Dampf ent-
weichen kann.

PAELLA VOM GRILL

ZUBEREITUNG

1 Einen zur Hälfte gefüllten Anzündkamin ca. 14 Minuten anheizen. Währenddessen Zwiebeln grobwürfelig, Paprika und Chorizo würfelig schneiden. Für das Paella-Gewürz alle Zutaten vermengen. Suppe mit 2–3 EL Paella-Gewürz und zerdrücktem Knoblauch aromatisieren und aufkochen, restliches Gewürz in ein gut verschließbares Glas füllen.

2 Heiße Briketts in die Grillkörbe leeren, den Rost kurz aufheizen. Inzwischen die Hühnerkeulen mit Salz und Pfeffer würzen. Auf beiden Seiten scharf angrillen, auf die Seite legen und indirekt bei geschlossenem Deckel ca. 10 Minuten garen. Vom Grill nehmen und warmstellen.

3 Olivenöl in einer Pfanne auf dem Grill erhitzen. Muscheln kurz köcheln lassen, mit 150 ml Weißwein ablöschen, in eine Schüssel geben und zur Seite stellen. Zwiebeln in etwas frischem Olivenöl goldbraun braten. Paprika und Chorizo hinzufügen, sobald diese angebraten sind, Meeresfrüchte zugeben. Kurz anbraten, mit dem Rest Wein ablöschen. Ca. 5 Minuten köcheln lassen. Reis dazugeben, salzen, alles gut durchmischen und gleichmäßig verteilen. Suppe zugießen, nicht mehr durchrühren. Deckel schließen und die Paella ca. 20 Minuten bei ca. 200 °C köcheln lassen, bis die Flüssigkeit zur Gänze aufgesogen ist. Währenddessen auf der seitlichen Fläche des Rosts die Garnelen beidseitig schön rötlich angrillen, zur Seite stellen.

4 Muscheln, Garnelen, Hühnerkeulen und Zitronenscheiben auf dem fertigen Reis anrichten, mit Alufolie abdecken und bei geschlossenem Deckel ca. 10 Minuten ziehen lassen. Deckel abnehmen, Paella servieren.

ZUTATEN

2 große Zwiebeln
1 rote Paprikaschote
1 dicke Scheibe Chorizo
1,5 l klare Suppe
2 Knoblauchzehen
6 Hühnerunterkeulen oder –flügel
Salz, Pfeffer
Olivenöl
400 g Miesmuscheln
300 ml Weißwein
600 g Meeresfrüchtemix
500 g Rundkornreis
12 große Garnelen
2 in Scheiben geschnittene Zitronen

FÜR DAS PAELLA-GEWÜRZ
5 EL Paprikapulver
2 EL Knoblauchgranulat
2 EL Zwiebelgranulat
3 EL Salz
2 EL Pfeffer
1 EL Kurkuma
1 EL Currypulver

**VERWENDETER GRILL
WEBER MASTER TOUCH**

OFFENER STEAK-BURGER AUF SCHWARZBROT

ZUBEREITUNG

1 Zuerst für die BBQ-Whisky-Sauce alle Zutaten in einen Topf geben und auf kleiner Hitze etwa 15–20 Minuten köcheln lassen, bis die Sauce schön sämig geworden ist. Zur Seite stellen.

2 Gasgrill auf ca. 220 °C aufheizen. Rinderfilets beidseitig mit Salz sowie Pfeffer würzen und ebenso wie die Schwarzbrotscheiben scharf angrillen. Auf den Warmhalterost geben und rasten lassen. Eine Pfanne auf den Seitenbrenner stellen und bei mittlerer Hitze erhitzen. Währenddessen Entenleber und Speck auf dem heißen Grillrost indirekt knusprig grillen. Mit Salz und Pfeffer würzen. In der inzwischen erhitzten Pfanne auf dem Seitenbrenner die Eier zu Spiegeleiern braten.

3 Knusprig gegrillte Schwarzbrotscheiben mit etwas BBQ-Whisky-Sauce bestreichen, jeweils 1 Salatblatt darauflegen, 1 Rinderfilet daraufsetzen und Entenleber sowie Spiegelei darauf anrichten. Je 2 Speckscheiben auf das Spiegelei setzen, etwas BBQ-Whisky-Sauce darüberträufeln und mit frischem Schnittlauch garnieren.

ZUTATEN

4 Rinderfilets à 160 g
4 Scheiben Schwarzbrot (Bauernbrot)
4 Scheiben Entenleber
8 dünne Scheiben Speck
4 Eier
4 Blätter Eisbergsalat
Salz, Pfeffer
frisch geschnittener Schnittlauch

FÜR DIE BBQ-WHISKY-SAUCE

100 ml Balsamicoessig
100 ml Apfelsaft
100 ml Sojasauce
100 ml Whisky
50 ml Worcestershiresauce
4 EL Honig
2 EL Tomatenmark
1 Messerspitze fein gehackter Chili

☞ **DER SPEZIELLE TIPP ZUM REZEPT**

Damit alles schön heiß bleibt, setze ich die Burger in der indirekten Zone auf dem Gasgriller zusammen.

**VERWENDETER GRILL
GASGRILL**

WEISSFISCH IN STEINPILZNAGE

ZUBEREITUNG

1   Die geputzten Steinpilze in Scheiben, die Schalotten fein-
    würfelig, den Knoblauch in feine Spalten schneiden. Dille
    zupfen und fein hacken. Die Fische filetieren, entgräten
    und in daumendicke Scheiben schneiden (die Abschnitte
    und Reste für die Herstellung eines Fischfonds verwen-
    den).

2   Einen Dutch Oven oder eine Gusseisenpfanne auf dem
    Grill oder der Feuerstelle erhitzen und die gehackten
    Schalotten in Rapsöl anschwitzen. Knoblauch sowie
    Steinpilze dazugeben, kurz rösten, mit Weißwein ab-
    löschen und mit Fischfond auffüllen. Mit Salz, Pfeffer,
    Chili und Dille würzen, zudecken und 8–10 Minuten
    einkochen.

3   Deckel öffnen, das Schlagobers vorsichtig unterrühren,
    Fischfilets daraufsetzen, Paprikastreifen obenauf ver-
    teilen, zudecken und bei kleiner Flamme ca. 5 Minuten
    köcheln lassen. (Während Fisch und Paprika auf der
    Steinpilznage garen, entsteht leichter Dampf.)

ZUTATEN

300 g Steinpilze
4 Schalotten
2 Knoblauchzehen
4 Dillzweige
2—3 kg Weißfische (Brachsen)
2 EL Rapsöl
100 ml Weißwein
200 ml Fischfond
Salz, Pfeffer
1 Messerspitze fein gehackter
Chili
100 ml Schlagobers
100 g gemischte Paprikastreifen

☞ DER SPEZIELLE TIPP ZUM REZEPT

Am besten schmeckt dieses Gericht meinen
Gästen, wenn ich den Dutch Oven in die Mitte
auf den Tisch stelle und den Fisch mitsamt
der Steinpilznage mit einem Schöpflöffel in
heiße Tassen fülle.

**VERWENDETER GRILL
KUGELGRILL**

REZEPTREGISTER

Enthält alle Gerichte in alphabetischer Reihenfolge sowie in den Zutatenlisten gekennzeichnete Teilrezepte. Adis Grillrezepte sind mit „ ☞A " gekennzeichnet.

Gegrillt wird meist in geselliger Runde und mit mehreren „Gängen", sodass für jeden etwas dabei ist. Deshalb haben wir in diesem Buch bewusst darauf verzichtet, die Rezepte einheitlich für 4 Personen anzulegen. Als Richtwert kann gelten, pro Person ca. 200 g Fleisch oder Fisch (ohne Knochen/Gräten) einzukalkulieren.

EMPFEHLENSWERTE DIREKTVERMARKTER IN ÖSTERREICH

Wir haben das große Glück, in allen Bundesländern einen unglaublichen Reichtum an Produzenten mit Direktvermarktung zur Verfügung zu haben. Bio–Bauern und Betriebe, die Gemüse, Fleisch, Fisch, Käse und allerlei andere Schmankerl direkt ab Hof verkaufen, gibt es in jeder Region in Hülle und Fülle. Man muss sich nur die Mühe machen und sie aufspüren. Ich empfehle im Folgenden nur stellvertretend einige von ihnen.

BURGENLAND

Karlo Fleischerei, graues Steppenrind, Mangalitza	fleischerei-karlo.at
Rankel, Walnuss-Spezialitäten	rankel.at
Ziegenhof Ziegenliebe	ziegenliebe.at
Teichwirtschaft Hoffmann, Fischzucht	fische-hoffmann.at
Erich & Priska Stekovics, Paradeiser, Kräuter	stekovics.at
Conny's Frucht in Form, Beeren, Honig	fruchtinform.at
Tschida, Chili	tschidachili.at

KÄRNTEN

Biohof Unterer Moser, Bio-Rindfleisch	bestesrind.at
Biohof Wegozyn, Schweine, Speck	biohof-wegozyn.at
Koitz Andreas, Wurmfarm	diewurmfarm.at
Bauernladen Tauchhammer/Oberbadstuber	tauchhammer.com
Fischspezialitäten Mattersdorfer	fischspezialitaeten.com
Wakonig's Hofgreißlerei	wakonigs-hofgreisslerei.at
Forellenhof Jorde	derjorde.com

NIEDERÖSTERREICH

Bio BOA Farm Zehetner, Bio-Rind, Bio-Schwein	beefcattle.at
Magoschitz, Spargelhof	solo-select.at
Gut Dornau, Fischzucht	gutdornau.at
Biohof Edibichl, Bisonzucht	meinfleisch.at
meineWeideGans, Edles aus der Natur	meineWeideGans.at
Gemüse–Manufaktur Kemeter	gemuesemanufaktur.abhofladen.at
Raser Pachfurth, Schaffleisch, Schafkäse	schafkaese-raser.at
Zwettler Bier	zwettler.at

OBERÖSTERREICH

Bauernhof Holzer, Eier, Teigwaren, Kürbis — bauernhof-holzer.at

Chickenhouse Familie Scheibl, Hühnerhof — chickenhouse.at

Biohof Thauerböck, Bio-Dinkel, Bio-Beef, Brände — thauerboeck.at

Beer Buddies, Biere — thebeerbuddies.at

Achleitner Forellen, Forellenfischzucht — office@forellen.at (k. Webseite)

Spargelhof Familie Mayer — spargelhof.at

Valentin Ortner, Bio-Käserei, Schafzucht — bioschafkaese.at

Speck–Alm, Bio-Schwein und -Rind — speck-alm.at

SALZBURG

Sperlbauer, Schweine und Hühner — sperlbauer.bio

Faistenauer Hofkäserei, Erlebnisbauernhof — faistenauer-hofkaeserei.at

Hofladen Joglbauer, Gemüse, Obst, Fleisch — hofladen-joglbauer.at

Fleischerei Stefan Auernig — auernig.at

Biohofmetzgerei Hainz — biofleisch-hainz.at

Schmitzberger Metzgerei — direktvermarktung-schmitzberger.at

STEIERMARK

Weizer Schafbauern — weizerschafbauern.at

Vulcano Schinkenmanufaktur — vulcano.at

Aronia Manufaktur Köck — aronia-koeck.at

Russhof, Kernöl — kernoel1.at

Fleischerei Mosshammer — mosshammer.at

Gölles Manufaktur, Brände, Essig — goelles.at

TIROL

Juffinger's Gaumenwerk, Schwein, Speck, Wurst — gaumenwerk.at

Regional Tirol, Bio-Pilze — tirolerbiopilze.at

Milchbuben Tirol, Käsespezialitäten — milchbuben.at

Ehrlich Tirol, Rind, Kalb, Lamm — ehrlich.tirol

Lumpererhof, Bio-Gemüse — lumpererhof.at

Hofer–Bauer, Hofladen und Brennerei — hofer-bauer.at

Floberry Hofladen, Beeren und Marmelade — floberry.at

VORARLBERG

Alpen Sepp, Bergkäse — alpensepp.com

Martinshof, Bio-Rind, Dinkel, Eier — martins-hof.at

Innauerhof, Hühner, Enten, Kaninchen — innauerhof.at

Güfel Forellen — guefel.com

Bregenzerwald Wagyu– und Angusfleisch — bregenzerwald-wagyu.at

Vetterhof, Bio-Gemüse — vetterhof.at

Fraenzles Fisch, Fische vom Bodensee — fraenzles.at

WIEN

Hödl, Fleischhauerei — hoedl-fleisch.at

Stierschneider, Fleischhauerei — fleischerei-stierschneider.at

Gissinger, Fleischhauerei — gissinger.at

Szabo, Fleischhauerei — szabo-fleisch.at

Bio Feigenhof — feigenhof.at

Ehrenwort, Gewürze — ehrenwort.at

Gugumuck, Schnecken — gugumuck.at

Gegenbauer, Essig — gegenbauer.at

ÖSTERREICHISCHES DEUTSCH

Am	auf dem
An Guotö	Guten Appetit
Backrohr	Backofen
Beamtenforelle	einfache Brühwurst
Beiried	Roastbeef
Beisl	Wirtshaus
Bestauben	Bestäuben
Binkerl	Päckchen, Bündel
Biskotten	Löffelbiskuit
Blunzn	Blutwurst
Brettljausn	kalte, kleine, deftige Brotzeit, auf einem Brett serviert
Brösel	→ Semmelbrösel
Butterbrösel	mit Butter (und Zucker) gebratene → Semmelbrösel
Christkindlmarkt	Weihnachtsmarkt
Dille	Dill
Doppelgriffig	→ Mehl
Dörrmarille	Trockenaprikose
Durchzogen	durchwachsen
Eierschwammerl	Pfifferling
Einschlichten	einschichten
Erdäpfel	Kartoffeln
Estragonsenf	in Österreich vielverwendeter, mild-würziger Senf mit Estragon
Faschieren	durchdrehen
Faschierter Braten	Hackbraten
Faschiertes	Hack
Fisolen	grüne Bohnen
Fleischhauer	Fleischer, Metzger
Florianijünger	Feuerwehrleute (der hl. Florian gilt als ihr Schutzpatron)
Flügerl	Flügel
Fülle	Füllung
G'schmackig	geschmacksintensiv, aromatisch
Gams	Gämse
Gansl	Gans
Gasserl	Gässchen
Gelbe Rüben	in Deutschland wenig gebräuchlich und nicht mit Karotten/Möhren ident
Gemischter Satz	Wein aus mehreren in einem Weingarten gemeinsam angebauten Rebsorten
Germ	Hefe
Geselchtes	Räucherfleisch
Glaserl	Gläschen
Goaßkas	Ziegenkäse
Grammeln	Grieben
Grammerl-pogatscherl	mit gehackten Grieben bestreute Brötchen mit Grieben im Teig
Graukäse	würzig-scharfer Sauermilchkäse
Gustostückerl	Leckerbissen
Handsemmerl	handwerklich hergestelltes Brötchen
Haxerl	Hachse
Hendl	Huhn
Hesperidenessig	in Österreich viel verwendeter Essig (7,5 %) aus Weingeistessig, Weinessig und Apfelsaftkonzentrat
Hüferscherzel	Fleisch aus der Rinderhüfte
Hüferschwanzel	Pastoren-/Bürgermeisterstück, Fleisch aus der Rinderhüfte, nicht ganz so feinfasrig wie → Hüferscherzel
Hüftzapfen	Hüftfilet
Jause	kleine Mahlzeit, Zwischenmahlzeit
Jungzwiebel	Frühlingszwiebel
Kalbin	ausgewachsenes weibliches Rind von max. 2 Jahren
Karotten	Möhren
Karree	Schweinekotelett
Karreerose	Schweinelachs
Käsekrainer	Brühwürste aus Schweinefleisch mit Käse
Kas	Käse
Kasnocken	in der Pfanne zubereitete Käsespätzle
Kasnudeln	Nudelteig-Taschen mit Quark-Kartoffel-Füllung
Kaspressknödel	Knödel mit Käse im Teig
Kernöl–Eierspeis	Rührei mit Kürbiskernöl
Kessel	Schüssel
Kiachl mit Kraut	frittierte Teigfladen mit Mulde (ähnlich Doughnuts), mit Sauerkraut gefüllt
Knödelbrot	getrocknete Weißbrot- oder Semmelwürfel mit Rinde
Kohl	Wirsing
Kraut	Kohl
Krautsalat	Weißkohlsalat
Kren	Meerrettich
Kristallzucker	fein gekörnter Haushaltszucker
Kronfleisch	Zwerchfell

Ländle	Vorarlberg
Leeren	gießen, füllen
Lei losn	Dialekt für „wird schon in Ordnung sein"
Lungenbraten	Filet

Mageres Meisel	Schulterfleisch vom Rind, falsches Filet
Magertopfen	Magerquark
Marille	Aprikose
Mehl, glatt	fein ausgemahlenes Mehl, durch Mehl Type 405 zu ersetzen
Mehl, doppel- griffig	grob gemahlenes Mehl, am ehesten mit Dunstmehl vergleichbar
Melanzani	Aubergine
Mostbratl	mit Obstwein gebratener Schweinebraten

Nierenzapfen	Herzzapfen
Nuss	Fleisch aus der Mitte der Rinderkeule, Kugel
Nuss–Deckel	Kugeldeckel

Obers	Sahne, Kurzform für → Schlagobers

Packerlschupfer	Paketbote
Paprikahendl	Huhn in Paprikasauce
Paradeiser	Tomaten
Paradeiskraut	mit Tomaten gekochter Weißkohl, mit heller Mehlschwitze gebunden
Pogatscherl	Brötchen

Radi	Rettich
Rahmig	sahnig
Randeln	beim Verschließen von Teigtaschen mit den Fingern den Rand verzieren
Rässkäs	würziger Vorarlberger Schnittkäse
Rasten	ruhen, gehen lassen
Reindling	Kärntner Napfkuchen
Resch	kräftig, knusprig
Rindsuppe	Rindersuppe
Rohr	Kurzform zu → Backrohr
Rose des Halses	Nackenkern, Hochrippenherz
Rostbraten	flaches Roastbeef, oft auch Oberschale
Röster	dickflüssiger Kompott mit weicheren, zerfallenden Früchten
Rotkraut	Rotkohl, Blaukraut

Sauerkäse	→ Sura Kees
Sauerrahm	saure Sahne

Schalendeckel	Oberschalendeckel
Schlagobers	Sahne
Schlichten	schichten
Schlögel	Keule
Schlutzkrapfen	Teigtäschchen aus Roggen- und Weizenmehl
Schmäh	„der Schmäh rennt" bedeutet so viel wie schlagfertiger Small-Talk mit hohem Unterhaltungsfaktor
Schmankerl	Leckerbissen
Schneekessel	Rührschüssel
Schopf	Schweinenacken, Kamm
Schulterscherzel	Schaufelstück, Mittelbugstück
Schwammerl	Pilz
Schwarzbeeren	Heidelbeeren
Schwarzbrot	Mischbrot
Schwarzes Scherzel	zugeschnittene Oberschale
Schweinsnetz	Schweinenetz
Selchen	räuchern
Selchkuchl	Räucherkammer
Semme(r)l	Brötchen
Semmelbrösel	Paniermehl ohne Zusätze
Simperl	Gärkörbchen
Soufflieren	sich aufblähen
Spritzer	Schorle
Staubzucker	Puderzucker
Steckerl(brot)	Stock bzw. auf Stöcken gegrilltes Brot
Stelze	Schweinshachse
Steirerkas	pikant-würziger Sauermilchkäse
Sura Kees	magerer Sauermilchkäse aus Vorarlberg
Suren	pökeln

Tafelspitz	Hüftdeckel
Topfen	Quark

Überkühlen	kurz abkühlen lassen

Verkosten	probieren
Versprudeln	verquirlen
Vogerlsalat	Feldsalat

Wadelstuzn	Fleisch von der Rinder-Kniekehle, Sternrose
Wammerl	Bauchfleisch
Wangerl	Backe
Weckerl	Brötchen
Weißes Scherzel	Schwanzrolle, Seemerrolle
Würstel	Würstchen
Wurzelspeck	leicht durchwachsener Räucher-Bauchspeck mit Knoblauch

Zwetschken- datschi	Zwetschgen-Blechkuchen

GRILL-ABC

Beim Grillen „rennt der Schmäh", wie man so schön sagt. Die amüsantesten Ausdrücke habe ich auf meiner Grilltour durch Österreich für Sie gesammelt.

B

Beamtenforellensieder
Hobbygriller, der nichts kann, außer Frankfurter warm machen

Butterhirsch
gut gemästeter Ochs

C

Carpaccio
jedes Steak, das weniger als 3 cm dick ist

D

Der mit der Kohle spricht
hört die Kohle singen und lässt sein Fleisch auf der Glut tanzen

F

Fett verbrennen
Bauchfleisch grillen

Feuerflüsterer
Grillmeister, der sein Gerät wirklich gut beherrscht

Fleischhenker
im Wassersmoker hängende Fische räuchern

Fleischstecher
sticht das Grillgut mit einer Fleischgabel an – ein absolutes No-Go

G

Gemma Gas
den Gasgrill anwerfen

Gemüsekünstler
grillt drei verschiedene Gemüsesorten

Grillflüsterer
grillt Fleisch indirekt

Grillkohlen-Visionär
Hobbygriller, der mit Holzkohle grill

Grillverwöhner
grillt mehrere Lebensmittel gleichzeitig und beherrscht dabei die verschiedenen Garzeiten perfekt

K

Kohlenbändiger
Grillmeister, der mit dem Anzündkamin die Kohlen richtig anheizt

Kräuterversteher
legt Kräuter erst auf das indirekt zu grillende Grillgut, um ihr Aroma zu erhalten

M

Maulhappen
Fingerfood

R

Restelzwicker
isst alles, was er ergattern kann, vor allem Reste

S

Schönwettergriller
Freizeitgriller, der nur bei Sonnenschein grillt

Schuhsohlengriller
nicht sehr geübter Hobbygriller, der das Fleisch durchgrillt, bis es trocken und zäh wird

Seriengriller
jemand, der regelmäßig grillt

Serviettenbeschwerer
Salatschüssel

Sieben-Gang-Menü
ein Steak und ein Sechserträger Bier

Sprossen grillen
Rippchen grillen

T

Taxigriller
leidenschaftlicher Grillfanatiker, der im Auto immer einen Grill inkl. Zubehör mitführt, um jederzeit und überall losgrillen zu können

Ü

Überwuzelte Partie
Grillgut, das zu lange gegrillt wurde und dadurch viel zu durchgegart und zäh geworden ist

V

Vollblut-Grillmeister
kann ohne Bier nicht grillen

W

Warmduscher
zögerlicher Hobbygriller, der Fleisch zuerst sous vide vorgart, -kocht oder -brät und erst dann auf den Grill legt

Z

Zipfelgriller
Würstelgriller

TEAM

DANK

REZEPTE

ADI BITTERMANN ist geradezu süchtig nach Grillen und Kochen. Seit vielen Jahren vermittelt er diese große Leidenschaft immer wieder zwischen zwei Buchdeckeln, einige dieser Bücher entstanden gemeinsam mit Renate Wagner-Wittula. In seiner 1. Carnuntum Grillschule gibt der Grillweltmeister sein Wissen gerne weiter.

KONZEPT & TEXT

RENATE WAGNER-WITTULA widmet ihr Leben seit vielen Jahrzehnten voll und ganz der Kulinarik, schrieb zahlreiche eigene Kochbücher und arbeitet besonders gerne mit interessanten Köchen wie Adi Bittermann zusammen. Wenn sie nicht schreibt, geht sie als Herausgeberin des „Wirtshausführers" essen.

FOTOGRAFIE

THOMAS APOLT ist seit den frühen 90er-Jahren als Fotograf tätig. Im Lauf der Jahre hat er zahlreiche ausgezeichnete Köchinnen und Köche bei der Gestaltung ihrer Kochbücher begleitet.

GRAFIK

ANA IANKOVA und **CLARA BERLINSKI** sind seit einigen Jahren als Grafik-Design-Team tätig. Sie kreieren gestalterische Lösungen mit Fokus auf Ästhetik und den bewussten Bruch damit. Diese Herangehensweise lassen sie auch in den kulinarischen Bereich einfließen.

LEKTORAT

ELSE RIEGER ist deutsche Wahlwienerin. An Kochbüchern schätzt sie die Herausforderung, Wissen und Handlungsanweisungen bestmöglich in Worte und Bilder zu kleiden.

GROSSES DANKESCHÖN AN ...

meine Förderer und Partner für ihre großzügige Unterstützung:

WIESBAUER GOURMET
Ernst Stocker und Erich Stiefsohn

WEBER-STEPHEN ÖSTERREICH UND WEBER GRILL ACADEMY

GRILL & CO. CAMPUS
Benedikt Mitterlehner und Matthias Fuchs

ZWETTLER BIER
Mag. Karl Schwarz

GUT STREITDORF
Ing. Gerald Toifl

AUGUST BITTERMANN
Landwirtschaftskammer NÖ, zuständig für Tierhaltung in Österreich

... meine Co-Autorin **RENATE WAGNER-WITTULA** für ihre tatkräftige Unterstützung beim Verfassen der Texte und Rezepte sowie **THOMAS APOLT** für seine beeindruckenden Fotos, die er auf unserer Grilltour durch Österreich geschossen hat.

... das Team des Brandstätter Verlags, allen voran an Projektleiterin **STEFANIE NEUHART**, sowie an die Lektorin **ELSE RIEGER** und das Grafikteam **CLARA BERLINSKI** und **ANA IANKOVA**.

Großer Dank auch an das Team meiner 1. Carnuntum Grillschule in Göttlesbrunn, insbesondere an meine Frau Bettina, ohne deren großartige Mithilfe das Buch nicht Wirklichkeit geworden wäre.

Adi Bittermann

LIEBE LESERIN,
LIEBER LESER,

Hat Ihnen dieses Buch gefallen?
Wollen Sie weitere Informationen zum Thema?
Möchten Sie mit dem Autor in Kontakt treten?
Wir freuen uns auf Austausch und Anregung!

LESERBRIEF@BRANDSTAETTERVERLAG.COM

+43 1 512 15 430
Brandstätter Verlag
Wickenburggasse 26, 1080 Wien

Wir sagen Danke.
Bleiben wir in Verbindung!

Lassen Sie sich inspirieren!
Gute Geschichten, schöne Geschenkideen auf
WWW.BRANDSTAETTERVERLAG.COM

Teilen macht Freude!
#SOGRILLTOESTERREICH #HEIMATGRILLEN

ASADO – Ursprünglich Grillen über offenem Feuer
ISBN 978-3-7106-0315-0

IMPRESSUM

1. AUFLAGE 2021
Alle Rechte vorbehalten

Copyright © 2021 by
Christian Brandstätter Verlag, Wien

PAPIER Magno Volume 150gr, 11 fach Vol.
DRUCK Riedeldruck GmbH, 2214 Auersthal
BINDEARBEITEN G.G. Buchbinderei Gesellschaft m.b.H.,
2020 Hollabrunn
Designed and printed in Austria

BILDNACHWEIS
Thomas Aichinger / picturedesk.com: 132 / 133,
Austrophoto / F1Online / picturedesk.com: 80 / 81,
Tobias Gerber /l aif / picturedesk.com: 158 / 159,
E. Teister / pa Picture Alliance / picturedesk.com: 176 / 177,
Ernst Weingartner / picturedesk.com: 220 / 221, 222,
Jakob Winter / picturedesk.com: 20 / 21

ISBN 978-3-7106-0474-4

REZEPTE Adi Bittermann & grillbegeisterte ÖsterreicherInnen
KONZEPT & TEXTE Renate Wagner-Wittula
FOTOGRAFIE Thomas Apolt
GRAFISCHES DESIGN Ana Iankova, Clara Berlinski
LEKTORAT Else Rieger
PROJEKTLEITUNG BRANDSTÄTTER VERLAG Stefanie Neuhart

WIR TRAGEN VERANTWORTUNG

Dieses Buch wurde auf hochwertigem, PEFC™-zertifiziertem Papier gedruckt. Diese international anerkannten, unabhängigen und regelmäßig überprüften Standards gewährleisten eine umweltgerechte, sozial verträgliche, nachhaltige und ökonomisch tragfähige Nutzung entlang der gesamten Wertschöpfungskette Holz, vom Baum bis zum Buch.

Die Druckerei ist PEFC©-zertifiziert, das grenzüberschreitende Umweltgütesiegel „EU Ecolabel" zeichnet diesen Betrieb durch umweltfreundliche Produkte und Dienstleistungen aus.

Gedruckt nach der Richtlinie „Druckerzeugnisse" des Österreichischen Umweltzeichens, Riedeldruck GmbH, UW-Nr. 966